GUIDE COMPLET DU BRICOLEUR

LES CARRELAGES EN CÉRAMIQUE ET EN PIERRE

*Traduit de l'américain
par Jean Storme*

LES ÉDITIONS DE
L'HOMME

Catalogage avant publication de la Bibliothèque nationale du Canada

Vedette principale au titre :
Les carrelages en céramique et en pierre

(Guide complet du bricoleur)

Traduction de : The complete guide to ceramic and stone tile.

1. Carrelage – Manuels d'amateurs. 2. Carreaux – Manuels d'amateurs.
I. Storme, Jean. II. Black & Decker Corporation (Towson, Mar.).

TH8531. C6514   2004   698   C2004-941377-5

Production de l'édition française :

Coordonnatrice de l'édition : Linda Nantel
Coordonnatrice de la production : Diane Denoncourt
Correctrices : Monique Richard et Sylvie Tremblay

Éditeur exécutif : Jerri Farris
Directrice artistique : Kari Johnston
Concepteur graphique : Jon Simpson
Directrice du projet : Tracy Stanley
Recherchistes photos : Julie Caruso et Andrew Karre
Illustrateur : Earl Slack
Directrice des services en studio : Jeanette Moss McCurdy
Chef de l'équipe photo : Tate Carlson
Photographes : Chuck Nields et Andrea Rugg
Menuisier de l'atelier : Randy Austin
Stylistes : Theresa Henn et Joanne Wawra
Directrice, services de la production et de la photo : Kim Geber
Directrice de la production : Stasia Dorn

DISTRIBUTEUR EXCLUSIF :

• Pour le Canada
et les États-Unis :
MESSAGERIES ADP*
955, rue Amherst
Montréal, Québec
H2L 3K4
Tél. : (514) 523-1182
Télécopieur : (514) 939-0406
* Filiale de Sogides ltée

Pour en savoir davantage sur nos publications,
visitez notre site : www.edhomme.com
Autres sites à visiter : www.edjour.com • www.edtypo.com
www.edvlb.com • www.edhexagone.com • www.edutilis.com

Gouvernement du Québec – Programme de crédit d'impôt pour l'édition de livres – Gestion SODEC – www.sodec.gouv.qc.ca

L'Éditeur bénéficie du soutien de la Société de développement des entreprises culturelles du Québec pour son programme d'édition.

Nous reconnaissons l'aide financière du gouvernement du Canada par l'entremise du Programme d'aide au développement de l'industrie de l'édition (PADIÉ) pour nos activités d'édition.

Table des matières

INTRODUCTION

L e choix du carreau pour décorer une maison est doublement naturel ; il est naturel par les propriétés mêmes du produit, car qu'il s'agisse d'un carreau de céramique, de porcelaine, de pierre naturelle, de verre ou de métal, le carreau est toujours un produit minéral ; et il est naturel parce qu'il reflète une attirance spontanée pour ce produit durable, facile d'entretien et (le plus souvent) d'un prix abordable.

Avant de citer les multiples raisons de sa popularité, jetons un bref coup d'œil sur son histoire. La production des carreaux en argile cuite est antérieure à l'apparition des textes historiques. Parfaitement : antérieure à l'apparition des textes historiques. Quelqu'un, quelque part, a dû se rendre compte que l'argile humide durcissait en séchant, et quelqu'un d'autre s'est probablement dit que l'argile durcirait davantage si on la soumettait à l'influence de la chaleur. De là à penser que des températures plus élevées pourraient produire des carreaux encore plus durs, il n'y avait qu'un pas qui fut rapidement franchi.

Les opinions varient sur la date de la première utilisation du carreau, mais des archéologues ont découvert près de Sienne, en Italie, un four de potier qui daterait du IIIe siècle avant J.-C. Certains scientifiques croient d'ailleurs que les Égyptiens appliquaient une glaçure de couleur sur des carreaux d'argile il y a plus de 6 000 ans. Mais sans remonter aussi loin dans le temps, pensons à la découverte de carreaux dans les pyramides ainsi que dans les ruines de Babylone et des anciennes villes grecques. Quant à la preuve de la durabilité des carreaux, elle n'est plus à faire, car on a trouvé des carreaux intacts lors des excavations, faites à Pompéi, ce qui est remarquable si l'on considère que ces carreaux avaient été ensevelis sous les cendres pendant près de 2 000 ans.

Au Moyen-Âge, des carreaux faits à la main décoraient les murs et les planchers de centaines – sinon de milliers – de monastères et autres importants édifices du

monde connu. Au XVIIe siècle, la production de carreaux avait pris une telle importance que l'Angleterre avait imposé de strictes normes de fabrication et prenait des sanctions contre ceux qui les transgressaient. À la fin du XVIIIe siècle, de nouveaux procédés de fabrication, plus efficaces, ont fait baisser le prix des carreaux à des niveaux abordables, et on a commencé à les utiliser aussi bien dans les maisons que dans les édifices religieux et publics.

Actuellement, on utilise les carreaux dans les maisons et les immeubles, sur tous les continents, ce qui est sans doute dû au fait qu'ils se prêtent à tous les usages. Car, en effet, quel autre matériau offre pareille souplesse ? Les carreaux peuvent présenter une surface lisses ou rugueuse, simple ou travaillée, colorée ou pâle. Ils possèdent d'excellentes propriétés isolantes, ne dégagent pas de fumées toxiques en cas d'incendie, résistent à la lumière et sont étanches à l'eau. En fait, les carreaux classés « étanches » sont si faciles à nettoyer qu'on les utilise souvent sur les murs et les planchers des salles d'opération dans les hôpitaux, et sur ceux des zones de préparation des aliments dans les commerces.

Dans une maison, les carreaux peuvent créer une multitude d'effets : agrandir une pièce, ou la rendre plus intime, plus claire ou plus confortable, ou encore lui donner un style austère ou une touche artistique. La plupart des gens ne conçoivent les carreaux qu'en tant que revêtement de vestibules, de salles de bains ou de cuisines, mais il n'y a aucune raison de se limiter à ces pièces. Comme le montrent les photos de ce livre, les carreaux peuvent embellir d'autres pièces de la maison telles que les salons, les salles de séjour et les chambres à coucher. Grâce au *Guide complet du bricoleur – Carrelages en céramique et en pierre* vous pouvez réaliser tous les projets présentés.

Dans ce livre, nous vous accompagnerons du début à la fin, de l'enlèvement du plancher et des revêtements muraux existants jusqu'à la touche finale du nouveau revêtement, en passant par le processus de planification. Nous examinerons les outils et les matériaux dont vous avez besoin et nous vous guiderons dans le processus de sélection des carreaux adaptés à vos projets. Et lorsque vous mettrez vos plans à exécution, vous trouverez de nombreuses photos et des instructions sur les étapes à suivre, qui répondrons à vos besoins particuliers.

Alors, qu'attendez-vous ? Commencez dès maintenant !

Photo : courtoisie de Ceramic Tiles of Italy

Photo : courtoisie de Ceramic Tiles of Italy

SÉLECTION DES CARREAUX

CARREAUX POUR PLANCHER

Les carreaux pour plancher doivent être non seulement attrayants, mais aussi solides et durables, car ils supportent le poids du mobilier et la circulation des habitants, sans oublier le choc brusque de la chute d'une personne ou d'un objet. Les carreaux pour planchers sont conçus pour résister à ces contraintes.

La plupart des carreaux pour plancher peuvent également servir à recouvrir des dessus de comptoirs ou même des murs, bien que leur poids et leur épaisseur soient supérieurs à ceux des carreaux pour mur. Mais les carreaux de bordure, assortis aux revêtements des murs et des comptoirs n'existent pas dans toutes les gammes de produits, ce qui limite le choix.

Lorsque vous envisagez l'achat de carreaux, renseignez-vous sur le classement de l'American National Standards Institute ou du Porcelain Enamel Institute des États-Unis (voir p. 13). Si ce classement n'est pas disponible, vérifiez auprès du distributeur si les carreaux que vous envisagez d'acheter conviennent à votre projet.

Avant de vous lancer dans le magasinage, réfléchissez à l'endroit où vous comptez installer les carreaux et aux besoins auxquels ils doivent répondre. Seront-ils exposés à l'humidité ? Devront-ils attirer l'attention ou former un arrière-plan discret ? Désirez-vous qu'ils déterminent la palette de couleurs de la pièce ou qu'ils s'y mêlent harmonieusement ? La gamme des possibilités est quasiment illimitée, vous devez donc, avant le magasinage, fixer certains principes qui simplifieront grandement le processus de sélection. Vous trouverez dans cette section l'information qui vous aidera à choisir vos carreaux pour plancher.

Des combinaisons saisissantes de couleurs neutres (ci-dessus) donnent du relief et de la texture à ce salon classique.

La douceur des couleurs et le motif sobre (à gauche) constituent un fond discret sur lequel se détachent les motifs architecturaux et les accessoires originaux de cette entrée.

Un mot sur le classement

Sur l'étiquetage des carreaux pour plancher, on mentionne souvent leur degré d'absorption de l'humidité et leur classement PEI (Porcelain Enamel Institute). Le degré d'absorption de l'humidité est un paramètre important, car les carreaux qui absorbent l'eau risquent de moisir, ce qui les rend difficiles à nettoyer. Le classement précise les conditions d'utilisation des carreaux et la nécessité de les rendre étanches, le cas échéant. Les classes de carreaux, dans l'ordre de résistance croissante à l'humidité, sont les suivantes : non vitrifiés, semi-vitrifiés, vitrifiés et étanches. Le carreau non vitrifié est très poreux ; le carreau semi-vitrifié est utilisé dans les endroits secs ou occasionnellement humides ; le carreau vitrifié peut être utilisé partout, peu importe le degré d'humidité de l'endroit. Le carreau étanche est généralement réservé aux restaurants, aux hôpitaux et aux immeubles commerciaux qui exigent des précautions particulières en matière de salubrité.

Par l'indice PEI, on précise la destination du carreau. Les carreaux d'indice 1 et 2 sont réservés aux murs ; les carreaux d'indice 3 et 4 peuvent être utilisés dans les immeubles résidentiels, sur les murs, les comptoirs et les planchers. Le degré d'absorption et le classement PEI sont précisés dans la plupart des cas, exception faite pour certains carreaux importés ou certains carreaux artistiques. Renseignez-vous dans ce cas auprès du détaillant.

Les détaillants classifient parfois les carreaux suivant d'autres critères. Certains carreaux sont classés de 1 à 3 en fonction de la qualité de leur fabrication. Dans la classe 1, on range les carreaux de qualité standard ; dans la classe 2, les carreaux qui présentent des défauts mineurs de glaçure ou de dimensions ; et dans la classe 3, les carreaux qui présentent des défauts importants et qui ne doivent être utilisés que pour la décoration. On classe parfois les carreaux utilisés à l'extérieur en fonction de leur résistance au gel. Finalement, on précise parfois le coefficient de frottement du carreau. Plus le coefficient est élevé, plus le carreau est antidérapant. Si le coefficient à sec est de 0,6 le carreau répond à la norme minimale acceptable pour les Américains, selon la Disabilities Act des États-Unis.

CARREAUX DE CÉRAMIQUE ÉMAILLÉS

On fabrique les carreaux de céramique émaillés en comprimant de l'argile dans une presse, pour les façonner, et on les cuit ensuite dans un four. Ce procédé permet d'obtenir une gamme très étendue de formes, de dimensions et d'épaisseurs. Le point important n'est pas le carreau lui-même, mais l'émail qu'on y applique avant la cuisson. Cet émail contient des constituants vitreux et métalliques qui donneront à la surface couleur, dureté et éclat.

L'émail est généralement lisse et dur, ce qui signifie que les carreaux pour plancher risquent d'être glissants lorsqu'ils sont mouillés. C'est pourquoi la plupart des carreaux de céramique émaillés pour plancher sont spécialement conçus pour éviter ces problèmes. Leur surface est texturée ou garnie d'un motif légèrement en relief, ou l'émail contient des matières qui rendent la surface antidérapante.

Les carreaux émaillés n'absorbent généralement pas l'eau, ou l'absorbent très peu, ce qui facilite leur entretien et les rend résistants à la moisissure. S'ils sont recouverts d'un émail dur qui ne se laisse pas rayer, et s'ils sont bien installés et entretenus, les carreaux de céramique émaillés peuvent durer des décennies.

14

L'émail contient parfois des composants qui rendent les surfaces antidérapantes et donnent toute une gamme de couleurs (ci-dessus).

Les carreaux simples peuvent former des planchers sophistiqués lorsqu'on associe des couleurs contrastantes pour créer des motifs audacieux (à droite).

CARREAUX DE PORCELAINE

On obtient les carreaux de porcelaine en comprimant de l'argile blanche raffinée dans un moule et en cuisant le produit à de très hautes températures, dans un four. Les carreaux fabriqués de la sorte sont extrêmement durs, n'absorbent que peu ou pas d'eau, ne se tachent pas et sont insensibles à la moisissure.

On fabrique des carreaux de porcelaine de toutes les formes, et de toutes les dimensions et, comme leur couleur de base est le blanc, les possibilités de coloration et de finis sont illimitées. Les fabricants peuvent leur imprimer la texture de leur choix à la presse et les rendre ainsi antidérapants pour que l'on puisse les utiliser dans les endroits humides.

Contrairement à ce qui se fait pour les carreaux de céramique, la pigmentation n'est pas ajoutée à la glaçure. On mélange la teinture à l'argile, qui est donc intégralement colorée, propriété intéressante dans le cas où on ébrèche un carreau. L'absence de glaçure permet également au fabricant d'imprimer des textures et des motifs plus compliqués à la presse. Il est même possible de fabriquer ainsi des carreaux qui sont semblables à de la pierre taillée, plus chère et moins durable. En matière d'entretien, le carreau de porcelaine est imbattable : lisse et étanche à l'eau, il ne se laisse pas souiller par la boue, résiste aux taches, et est facile à nettoyer.

Les carreaux de porcelaine *imitent si parfaitement la pierre qu'il est souvent impossible de différencier ces deux matières sans vérifier l'étiquette. Ici, la pierre de porcelaine donne une allure naturelle à ce porche quatre-saisons.*

CARREAUX DE CARRIÈRE

Le nom de « carreau de carrière » est trompeur, car les carreaux de carrière actuels ne sont plus produits dans une carrière. Ils sont faits d'argile rouge extrudée qui ressemble à de la pierre taillée. L'extrusion crée également un dos strié qui améliore l'adhésion du mortier au carreau.

L'aspect rugueux du carreau de carrière le rend attrayant et parfaitement antidérapant, mais sa texture ouverte rend son entretien plus délicat. Les carreaux de carrière sont souvent beaucoup plus poreux que les carreaux émaillés ou les carreaux de porcelaine, donc ils sont plus sensibles aux taches et à la moisissure. Il faut leur ajouter des agents de scellement si l'on veut améliorer leur durabilité.

Les carreaux de carrière forment un fond rustique dans cette pièce de service inhabituelle. Leur ton est assorti aux briques de la pièce et contraste avec l'élégance du lustre.

Photo : courtoisie de Montana Tile & Stone Co./C. Price Wills

CARREAUX DE PIERRE NATURELLE

Depuis que les planchers finis existent, la pierre naturelle est utilisée pour les revêtements de sol. On peut tailler avec précision le marbre, le granit, l'ardoise et d'autres pierres exotiques pour en faire des carreaux de différentes dimensions qui s'installent comme les carreaux manufacturés.

Produit naturel par excellence, la pierre présente des variations de couleur et de texture qui font d'ailleurs tout son charme. Les fabricants proposent des carreaux de pierre présentant un certain fini, comme les finis polis ; mais ils offrent aussi des finis vieillis et texturés qui sont parfois très attrayants et créent une surface antidérapante.

À l'exception du granit, la pierre naturelle est assez poreuse et doit être imperméabilisée périodiquement si l'on veut éviter qu'elle se tache. Les différents types de pierre ne résistent pas uniformément à l'abrasion, il faut donc vérifier également cette propriété avant de les acheter. Certaines pierres sont tendres et se rayent très facilement sous l'effet des allées et venues des occupants.

Avec les carreaux de pierre naturelle, *on peut créer toute une gamme de planchers, allant du plancher austère au plancher ordinaire. Combinés avec des carreaux décoratifs, les carreaux de pierre naturelle donnent un genre rustique à cet intérieur.*

CARREAUX DE TERRE CUITE

On associe invariablement la terre cuite aux patios ombragés du Mexique ou aux places ensoleillées des régions méditerranéennes. Ces associations d'images sont appropriées, car la terre cuite est essentiellement produite dans ces régions. Traditionnellement, on fabrique ces carreaux en comprimant de l'argile non raffinée dans des moules de différentes formes et en les soumettant ensuite à la cuisson (d'où leur nom). La couleur des carreaux va du brun au rouge, en passant par le jaune, et elle provient essentiellement des minéraux qui composent le sol.

Les carreaux de terre cuite fabriqués à la machine ont une forme régulière et s'installent comme des carreaux ordinaires, mais les carreaux de terre cuite traditionnels – surtout lorsqu'ils sont fabriqués manuellement comme les carreaux *saltillo* du Mexique – ont une forme irrégulière et demandent une installation plus soignée. Le manque d'uniformité et le caractère rustique de ces carreaux font tout leur attrait et les rendent parfaitement antidérapants.

La terre cuite non émaillée est poreuse et, si on l'utilise dans des endroits humides, elle doit être traitée avec un produit imperméabilisant.

Photo : courtoisie de Ceramic Tiles of Italy

Substance simple et naturelle, la terre cuite se reconnaît par sa couleur et sa texture caractéristiques. Les carreaux faits à la machine ont une forme et des dimensions uniformes, mais ceux faits à la main ont une forme et une texture très variables.

Carreaux de ciment

Par rapport à la plupart des autres carreaux, les carreaux de ciment ont ceci de différent qu'ils ne sont pas fabriqués en argile cuite au four. Les carreaux de ciment sont de petites plaques carrées de béton. Le produit paraît simple, mais la couleur et la texture du produit fini peuvent varier à l'infini, car on peut assez facilement pigmenter le ciment, lui appliquer un enduit et le mouler. On peut même finir sa surface de manière à lui donner l'apparence du marbre ou d'une autre pierre, ou encore y imprimer à la presse des motifs en relief.

Les carreaux de ciment constituent un choix économique parce qu'ils ne coûtent pas cher et qu'ils sont durables. Il faut cependant retenir que, non finis, ils sont très poreux et se tachent facilement. Il ne faut pas les utiliser à l'extérieur : ils se fissureraient sous l'effet du gel. Enfin il faut savoir que, pour qu'ils conservent leur apparence et ne moisissent pas, ils doivent être traités périodiquement avec un imperméabilisant.

Photo : courtoisie de Buddy Rhodes Studio

Durables et pratiques, les carreaux de ciment sont également économiques et attrayants. Il faut les imperméabiliser périodiquement pour qu'ils conservent leur apparence.

MOSAÏQUE

La mosaïque est un art ancien et complexe. À l'aide de petits carreaux d'argile colorée, appelés abacules, les artistes ont créé des motifs et des dessins incroyables sur les planchers, les murs et les plafonds d'édifices tels que les temples grecs et les cathédrales byzantines. Aujourd'hui, les abacules proviennent de carreaux de céramique, de porcelaine, de terre cuite, de pierre ou autres, coupés en petits morceaux. On les assemble souvent sur un fond maillé de manière à pouvoir installer en une fois de grands carrés. Ces carrés peuvent être unis ou former un motif. Mais on peut également trouver des abacules séparés permettant de constituer des motifs ou des mosaïques particuliers.

Il existe un grand choix de motifs de mosaïque préfabriquée : il suffit d'ajouter quelques abacules à un plancher ou à un mur pour obtenir un effet saisissant.

Selon la nature des éléments qui les constituent, les mosaïques peuvent être faciles d'entretien ou nécessiter l'application périodique d'un imperméabilisant. Elles sont généralement antidérapantes en raison des nombreux joints de coulis qu'elles présentent.

La combinaison de différentes mosaïques de couleurs et de dimensions variées crée des ensembles élégants. On peut constituer des motifs compliqués avec des abacules assemblés sur des fonds maillés. Et on peut trouver facilement des bordures toutes prêtes pour l'installation.

CARREAUX DÉCORATIFS

Les carreaux individuels de porcelaine et de céramique, ornés de motifs décoratifs peints permettent de constituer des bordures ornementales ou de composer des motifs plus importants.

Quelques carreaux à motifs décoratifs suffisent à créer une tache colorée dans un ensemble dépouillé. Des motifs plus grands ou répétés peuvent aviver l'éclat d'un ensemble de carreaux unis.

Avec de petits carreaux décoratifs posés aux coins de plus grands carreaux, on crée, sans grand effort et économiquement, un plancher plus vivant.

22

PLINTHES ET SEUILS

Les plinthes en carrelage peuvent remplacer les traditionnelles plinthes en bois. Elles sont formées de carreaux plus grands dont le bord supérieur est arrondi et la base légèrement plus épaisse. Des plinthes assorties réunissent harmonieusement un plancher et un mur en carrelage.

Il existe tout un choix de seuils en bois, en métal et en carrelage qui permettent de passer d'un revêtement de sol à un autre. Les seuils métalliques reposent sur les revêtements et sont faciles à installer, mais ils attirent la poussière. Le bois et le marbre sont les matériaux plus utilisés pour fabriquer les pièces de transition entre des revêtements différents.

Photo : courtoisie de Walker Zanger, Inc.

Les carreaux de plinthe joignent en douceur les murs et les planchers carrelés. Et, si on y ajoute une bordure, la plinthe peut devenir un élément décoratif.

CARREAUX POUR MUR

Contrairement aux carreaux pour plancher, les carreaux pour mur ne doivent pas supporter de poids ni résister à l'usure due au passage intense ; ils peuvent donc être plus minces, avoir une glaçure moins épaisse et être, dans certains cas, moins chers.

L'agencement des carreaux sur les murs comporte généralement de nombreux bords exposés ; c'est pourquoi les fabricants offrent souvent des pièces de garniture et de bordure dont les bords sont finis. Habituellement, les carreaux pour mur sont munis de petites brides individuelles qui règlent automatiquement leur espacement.

Vous pouvez utiliser des carreaux pour plancher sur les murs, mais ils sont plus lourds et l'ensemble tend à s'affaisser pendant l'installation. Cependant, on peut résoudre le problème en utilisant des tasseaux. On trouve moins de carreaux de bordure et de garniture assortis aux carreaux pour plancher qu'aux carreaux pour mur, ce qui complique parfois la dissimulation des bords non finis.

Il est déconseillé d'utiliser des carreaux pour mur sur les planchers ou les comptoirs, car ils ne supportent qu'une faible charge et ne résistent pas aux chocs. Si vous vous interrogez sur l'utilisation d'un certain type de carreau, renseignez-vous auprès du détaillant ou vérifiez son classement par l'American National Standards Institute ou le Porcelain Enamel Institute (voir p. 25).

Les carreaux pour mur peuvent former un revêtement mural relativement discret ou – s'ils forment un motif compliqué – focaliser l'attention dans une pièce. Comme c'est le cas pour les carreaux pour plancher, le choix de carreaux pour mur permet de créer une multitude d'effets, discrets ou audacieux. Vous avez donc intérêt à déterminer l'effet que vous recherchez avant d'entreprendre des démarches auprès des marchands de carreaux ou dans les centres de rénovation. L'information contenue dans cette section vous aidera à choisir les carreaux pour mur appropriés à vos besoins.

Photo : courtoisie de Crossville Porcelain Stone

Photo : courtoisie de Oceanside Glasstile™

Les bordures égayent les murs et rompent la monotonie des surfaces unies (ci-dessus).

Mais les carreaux unis peuvent également impressionner lorsqu'on y associe des accessoires de couleur semblable ou complémentaire (à gauche).

Un mot sur les classements

L'étiquetage de la plupart des carreaux pour mur indique leur degré d'absorption de l'humidité. Comme les carreaux pour plancher, les carreaux pour mur seront attaqués par la moisissure s'ils ne sont pas étanches, et il sera difficile de les nettoyer. On les classe dans une des catégories suivantes, par ordre de résistance croissante à l'eau : carreaux non vitrifiés, semi-vitrifiés, vitrifiés et étanches. En pratique, ce classement renseigne l'utilisateur sur la nécessité d'imperméabiliser les carreaux ou sur la possibilité de les utiliser tels quels. Les carreaux non vitrifiés et semi-vitrifiés absorbent des quantités notables d'eau et doivent être imperméabilisés s'ils sont installés dans une pièce humide, une salle de bains par exemple. Mais, comme l'imperméabilisant peut modifier l'aspect des carreaux, il faut l'essayer avant de les acheter.

   D'autres classements sont à considérer lorsqu'on achète des carreaux pour mur. Suivant l'endroit où vous les achetez, les carreaux seront classés de 1 à 3 par rapport à la qualité de la fabrication. La classe 1 comprend les carreaux de qualité standard convenant à toutes les installations. La classe 2 comprend les carreaux qui présentent de petits défauts d'émail ou de dimensions, bien que la structure des carreaux soit de qualité standard. Les carreaux de la classe 3 peuvent avoir une forme légèrement irrégulière et sont essentiellement décoratifs ; il ne faut les utiliser que sur les murs. Les carreaux présentant des irrégularités de fabrication sont plus difficiles à installer avec précision. Si vous vivez dans une zone où il gèle et si vous cherchez des carreaux à installer à l'extérieur, assurez-vous que ceux-ci résistent au gel. Si leur résistance au gel n'est pas précisée sur l'emballage, renseignez-vous auprès du détaillant. Certains carreaux de couleur sont accompagnés d'une figure indiquant le degré de variation de couleur pouvant exister d'un carreau à l'autre, variation que l'on constate dans la plupart des cas.

CARREAUX DE CÉRAMIQUE ÉMAILLÉS

Les carreaux de céramique émaillés pour mur sont plus minces et plus friables que les carreaux de céramique pour plancher. Les murs subissant moins de contraintes que les planchers, leurs carreaux sont souvent revêtus d'une couche d'émail plus mince, résistant moins bien à l'abrasion. Les carreaux émaillés pour mur sont donc plus légers, plus faciles à couper et généralement moins chers que ceux pour plancher.

Comme c'est le cas pour les carreaux de céramique émaillés pour plancher, ces carreaux existent dans une multitude de formes, de dimensions, de couleurs et de textures présentant toute une variété de motifs moulés. En outre, on trouve généralement les bordures et garnitures assorties à ces carreaux.

Les bordures, garnitures et listels assortis existent pour la plupart des carreaux de céramique émaillés (ci-dessus).

Les émaux métalliques créent des surfaces réfléchissantes qui conviennent tout particulièrement aux pièces modernes.

CARREAUX DE PORCELAINE

Les carreaux de porcelaine pour mur sont plus minces et plus légers que les carreaux de porcelaine pour plancher : c'est leur seule différence. Ils sont fabriqués en argile blanche fine comprimée, cuite à très haute température, ce qui la rend aussi dure et imperméable que la porcelaine.

L'assortiment de formes, de dimensions, de couleurs et de motifs des carreaux de porcelaine que l'on trouve dans le commerce est aussi impressionnant que celui des carreaux de céramique pour mur, sans compter le choix de pièces pour bordures et les garnitures assorties. Les couleurs des carreaux de porcelaine pour mur, comme celles des carreaux de porcelaine pour plancher – et contrairement à celles des carreaux de céramique – sont obtenues par pigmentation plutôt que par glaçure ; ainsi, comme toute la masse du carreau est pigmentée, les rayures superficielles ne se voient pas.

Les carreaux de porcelaine étant imperméables, ils conviennent parfaitement aux salles de bains et autres endroits humides.

Photo : courtoisie de Ceramic Tiles of Italy

CARREAUX DE PIERRE NATURELLE

On a longtemps considéré les carreaux de pierre naturelle – taillés dans le marbre, le granit, l'ardoise ou d'autres pierres – comme matériaux de revêtement de sol, mais les motifs et les textures de la pierre naturelle permettent de l'utiliser également comme revêtement mural dans certains cas. Les carreaux de pierre polie au tambour sont devenus extrêmement recherchés comme revêtement mural pour toutes les pièces de la maison. Les pierres polies ou taillées brutes sont souvent utilisées pour les manteaux de cheminée et pour la décoration d'autres endroits où il fait sec.

On trouve des carreaux de pierre de différentes formes et épaisseurs, mais les carreaux les plus minces conviennent mieux aux murs, car ils sont plus faciles à installer. On trouve certaines pièces de garniture en pierre naturelle, mais le choix est limité ; alors, il faut parfois polir les bords des carreaux ordinaires pour leur donner un aspect fini.

La pierre brute fait de l'effet mais, hormis le granit, elle absorbe l'eau et se tache facilement si on ne l'imperméabilise pas. La pierre de couleur pâle se tache et se salit facilement ; c'est pourquoi nous vous conseillons de demander au détaillant comment imperméabiliser la pierre que vous comptez installer.

On peut oser une combinaison audacieuse de couleurs *grâce aux variations des couleurs naturelles de la pierre.*

Mosaïque

Les mosaïques colorées sont aussi belles sur les murs que sur les planchers. On peut installer des abacules colorés de céramique, de porcelaine, de terre cuite ou de ciment sur les murs pour former des motifs et des dessins, ou pour jeter simplement une tache de couleur dans l'ensemble. La petite taille des abacules en fait le matériau de recouvrement idéal pour les parois murales courbes.

Les mosaïques coûtent assez cher, mais quelques pieds carrés de mosaïque, sur un mur entièrement recouvert de carreaux de céramique ou de porcelaine ordinaires, créent un effet étonnant à peu de frais. Vous pouvez également utiliser des éclats de carreaux ou même de plats en porcelaine ou en faïence brisés pour créer de petits motifs mosaïqués sur des murs.

Au point de vue de l'entretien, les exigences de la mosaïque dépendent de son matériau de fabrication, mais en général, les murs de mosaïque sont durables et résistent à l'humidité.

Les mosaïques *permettent de créer des motifs compliqués (ci-dessus) ou des assemblages simples (à droite) qui font ressortir la beauté des matériaux.*

Photo : courtoisie de Ceramic Tiles of Italy

CARREAUX DE MÉTAL ET DE VERRE

Les carreaux en acier inoxydable, en laiton, en fer et en cuivre constituent une catégorie intéressante de carreaux, différente de la catégorie des carreaux à base d'argile. Leur prix au pied carré est relativement élevé mais, en disséminant quelques carreaux métalliques parmi les carreaux vitrifiés ou les carreaux de porcelaine d'un mur, on peut produire un effet original.

Les carreaux métalliques s'installent comme les carreaux standard, et on en trouve de toutes les formes et de toutes les épaisseurs, polis ou non, ou encore ornés de motifs en relief. Certains carreaux métalliques s'altèrent au contact de l'air et se décolorent avec le temps et sous l'effet de l'humidité.

Les carreaux de verre sont un autre matériau intéressant pour le recouvrement des murs (et, dans certains cas, pour celui des planchers). Ils existent dans une gamme étendue de couleurs et de nuances de transparence, de formes et de dimensions.

La plupart des carreaux de verre étant plus ou moins transparents, il est important de les installer avec un adhésif blanc qui ne modifie pas leur aspect. Le verre est imperméable, mais il se raye et se fissure ; il faut donc éviter d'installer les carreaux de verre à des endroits où ils risquent d'être heurtés par une porte ou rayés par le passage des occupants.

Photo : courtoisie de Euro-Tile featuring Villi®Glas
Photo page suivante : courtoisie de Ceramic Tiles of Italy

La transparence et les variations de couleurs donnent aux carreaux de verre tout leur caractère et leur charme.

CARREAUX ARTISTIQUES

La fabrication des carreaux est un art ancien que les artisans modernes perpétuent en produisant de beaux carreaux peints et ornés de motifs en relief.

La gamme des formes, des dimensions et des couleurs des carreaux artistiques, ainsi que celle des motifs qui les ornent, n'a pour limite que l'imagination des artisans. Ces carreaux décorent ou bordent merveilleusement les murs, et il suffit d'en placer judicieusement quelques-uns pour modifier complètement l'aspect d'une surface.

On peut également créer ses propres carreaux artistiques. Les magasins de céramique d'artisanat, que l'on trouve un peu partout dans le pays, offrent des installations où les apprentis artistes peuvent peindre et vitrifier des carreaux bruts, après les avoir décorés de leurs propres motifs.

Comme ils sont finis à la main, les carreaux artistiques sont moins durables et ils se raient et se tachent plus facilement que la plupart des autres carreaux. Il faut donc les utiliser dans des endroits secs où il y a peu de passage.

Parmi les carreaux artistiques faits à la main on trouve aussi bien de la mosaïque originale, peinte à la main, que des carreaux taillés individuellement, à la main. Des magasins spécialisés vendent des carreaux artistiques, mais la plupart des artisans présentent directement leurs objets, sur Internet. Une simple recherche dans le Web vous offrira des centaines de possibilités.

BAGUETTES ET LISTELS

Les bordures et les contours constituent un moyen simple de délimiter un motif de carrelage, et plusieurs sortes d'accessoires peuvent remplir cette fonction. Les baguettes, très étroites, sont utilisées pour souligner les bordures des motifs. En utilisant des baguettes unies, on peut ajouter une bande de couleur contrastante à un agencement de carreaux, ou on peut faire ressortir quelques carreaux artistiques d'un arrière-plan fait de carreaux uniformes. On trouve également des baguettes ornées de motifs imprimés ou moulés.

Les listels ressemblent aux baguettes. Ornés de motifs peints ou moulés, ils sont généralement plus épais que les carreaux pour mur normaux, ce qui leur donne plus de relief. On peut les utiliser pour finir un fond de carreaux ou pour créer une transition entre des couleurs ou des motifs différents. Ils sont particulièrement indiqués comme cimaises de protection.

Les baguettes et les listels permettent de créer des bordures intéressantes ou d'encadrer les parties de mur carrelées.

Les carreaux de finition offrent la possibilité de parachever facilement et élégamment les bords et les coins des murs et des dessus de comptoirs.

Carreaux de finition

Les concepteurs des carreaux pour mur prévoient généralement des pièces de finition assorties aux carreaux, qui permettent de dissimuler les bords visibles d'une surface carrelée.

Le carreau à bords arrondis, le plus courant parmi ces carreaux de finition, permet d'enjoliver les bords des parties de mur carrelées. D'autres carreaux sont utilisés dans les coins des dessus de comptoir et des dosserets pour arrondir les bords.

Les carreaux de finition ne servent pas qu'à dissimuler les arêtes vives; s'ils contrastent judicieusement avec un motif, ils peuvent aussi ajouter une note d'élégance.

On trouve des carreaux de finition de différentes largeurs et de différents styles. Examinez toutes les possibilités lorsque vous planifierez votre projet.

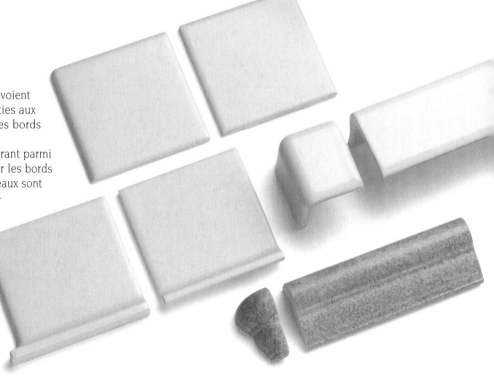

OUTILS ET MATÉRIEL

**Pince coupante en bout
(ou petite tenaille)**

Pistolet chauffant

Maillet

Levier plat

Ciseau

**Grattoir de
plancher**

OUTILS POUR ENLEVER LES ANCIENS REVÊTEMENTS

En utilisant des outils de qualité, on enlève plus rapidement les anciens revêtements et on prépare les surfaces à recevoir le nouveau carrelage. Les maisonneries et les quincailleries vendent toute une gamme de produits servant à enlever les anciens revêtements. Pour votre confort et votre sécurité, utilisez des outils munis à la fois de poignées lisses et sécuritaires, et de têtes correctement lestées.

Les pinces coupantes en bout servent à enlever les agrafes qui restent dans le plancher après l'enlèvement de la moquette. Cet outil, qui ressemble à une tenaille, peut également servir à casser le bord d'un ancien carreau pour pouvoir insérer un ciseau ou un levier sous celui-ci.

Les pistolets chauffants ramollissent les adhésifs pour que l'on puisse, à l'aide d'un levier, écarter du mur les moulures en vinyle et les carreaux récalcitrants. On les utilise également pour enlever la vieille peinture, surtout lorsqu'elle est épaisse ou fortement écaillée.

Les maillets sont souvent utilisés conjointement avec les leviers et les ciseaux ; on s'en sert pour enlever les revêtements de sol et préparer les surfaces à carreler. On s'en sert également pour niveler les planchers de béton qui présentent des aspérités et pour séparer les sous-couches et les sous-planchers.

Les leviers plats permettent de détacher des murs les plinthes en bois, et de séparer les sous-couches et les revêtements de sol des sous-planchers. Ils sont utiles pour enlever les carreaux adhérents à du mortier.

Les ciseaux ont différentes dimensions, selon les travaux auxquels ils sont destinés. On utilise les ciseaux de maçon avec un maillet pour enlever les bosses que présente parfois une surface bétonnée. Quant aux ciseaux ou tranches à froid, on les utilise avec un maillet ou un marteau pour détacher les carreaux du mortier en les soulevant.

Les grattoirs de plancher servent à gratter et à lisser les parties ragréées des planchers en béton, et on les utilise aussi pour soulever les revêtements de sol et gratter l'adhésif qui colle aux sous-couches ou pour en séparer le dossier.

OUTILS POUR RÉPARER ET INSTALLER LES SUBJECTILES

Avant d'installer les carreaux, il faut s'assurer que les surfaces et les subjectiles sont en bon état. Utilisez les outils qui suivent pour rendre les surfaces unies et planes, afin que les carreaux posés ne se brisent pas et que le travail ait belle allure une fois terminé.

Les règles rectifiées servent à marquer les zones abîmées qu'il faut enlever des subjectiles. On les utilise également pour tracer les contours des pièces de remplacement qu'il faut découper.

Les scies sauteuses sont pratiques lorsqu'il faut découper des encoches, des trous et des formes irrégulières dans des subjectiles existants ou neufs. On s'en sert aussi pour ajuster les nouveaux morceaux de subjectile dans les entrées de porte existantes.

Les perceuses portatives permettent de fixer les subjectiles aux sous-planchers au moyen des vis adaptées au type et à l'épaisseur du subjectile utilisé.

Les scies circulaires servent à enlever les sections endommagées des sous-planchers et à découper les pièces de remplacement aux dimensions voulues.

Règle rectifiée

Scie sauteuse

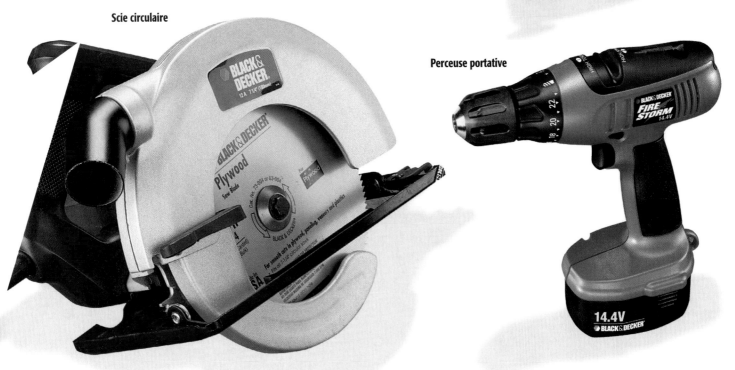

Scie circulaire

Perceuse portative

OUTILS POUR INSTALLER LES SUBJECTILES

Selon le cas, le subjectile que vous devrez couper et installer sera en panneau de ciment, en contreplaqué, en liège, en panneau de bois et en « panneau vert », et il peut également être une membrane d'étanchéité. Quelles que soient les exigences de votre projet, les outils qui suivent vous aideront à relever des mesures et à marquer, inciser, couper et installer un subjectile avec précision.

Les équerres à plaques de plâtre servent à relever des mesures et à marquer des subjectiles tels que les panneaux de ciment, les panneaux de fibrociment et les membranes isolantes. On s'en sert également comme règles-guides pour inciser et couper les subjectiles à l'aide d'un couteau universel.

Les couteaux universels permettent d'inciser les plaques de plâtre, les panneaux de ciment et de fibrociment et de couper les membranes isolantes. Mais les panneaux de ciment et de fibrociment épais et durs se coupent plus facilement au moyen d'un couteau à panneaux de ciment.

Comme leur nom l'indique, **les couteaux à panneaux de ciment** sont particulièrement recommandés lorsqu'on doit inciser les panneaux de ciment et de fibrociment. Leur lame est plus résistante et s'use moins vite que celle des couteaux universels lorsqu'on incise une surface rugueuse.

Les truelles sont utiles pour appliquer un produit de nivellement sur un plancher existant et pour appliquer un mortier à prise rapide sur un subjectile. On peut également les utiliser pour enlever les bombements et les aspérités après avoir laissé sécher le produit de nivellement ou le mortier.

Équerre à plaques de plâtre

Couteau universel

Couteau à panneau de ciment

Truelle dentelée

Règle rectifiée

Niveau

Équerre de charpentier

OUTILS POUR INSTALLER LES CARREAUX

La pose d'un carrelage demande une planification soignée. Comme on prend une grille comme modèle, il faut tracer des lignes de référence perpendiculaires si l'on veut réussir l'installation. Utilisez les outils qui suivent pour relever les mesures et tracer les lignes de référence de vos projets de carrelage.

Les règles rectifiées sont utiles pour tracer des lignes de référence sur une petite surface. On les utilise aussi pour tracer des lignes de coupe sur les carreaux à tailler.

Les niveaux servent à vérifier si les murs sont d'aplomb et les surfaces horizontales avant de poser les carreaux. On s'en sert aussi pour tracer des lignes en vue de l'installation des carreaux sur les murs.

Les équerres de charpentier permettent de tracer des lignes perpendiculaires en vue de l'installation des carreaux sur un plancher.

Les cordeaux traceurs servent à tirer les lignes de référence en vue de l'installation des carreaux.

Les mètres à ruban sont indispensables lorsqu'on doit mesurer des pièces et établir des plans d'installation. On les utilise aussi pour vérifier la perpendicularité des lignes en appliquant la méthode du triangle 3-4-5 (voir p. 81).

Cordeau traceur

Mètre à ruban

Scie à chantourner
munie d'une lame de
scie au carbure

Pince coupante
à carreaux

Coupe-carreaux
manuel

Pierre à carreaux

Scie à eau

Lame diamantée

Coupe-carreaux

Meule

OUTILS POUR COUPER LES CARREAUX

Le carreau est un matériau dur qu'on peut néanmoins tailler pour l'utiliser dans diverses applications. Avec les outils adéquats, on peut le couper, y pratiquer des encoches et le forer. Si vous n'envisagez qu'un seul projet de carrelage, louez les outils les plus chers au lieu de les acheter.

Les scies à chantourner équipées de lames de scie au carbure conviennent habituellement à la coupe des carreaux tendres tels que les carreaux pour mur.

Les pinces coupantes à carreaux permettent de couper les carreaux suivant une courbe ou une circonférence. On marque d'abord le carreau à l'aide de la molette d'un coupe-carreaux manuel ou de la lame d'une scie à eau, pour guider la coupe subséquente.

Les coupe-carreaux manuels servent à cisailler les carreaux, un à la fois. On les utilise souvent pour couper les carreaux des mosaïques une fois qu'on les a incisés.

Les pierres à carreaux sont utilisées pour limer les arêtes vives laissées par les pinces coupantes et les coupe-carreaux. On les utilise également pour ajuster les carreaux par limage.

Les scies à eau, ou scies à carreaux, utilisent de l'eau pour refroidir la lame et le carreau pendant la coupe. On s'en sert principalement pour couper les carreaux pour plancher – surtout les carreaux en pierre naturelle – mais elles permettent également de couper rapidement un grand nombre de carreaux ou de pratiquer des encoches dans des carreaux durs.

Les lames diamantées sont utilisées sur les scies à eau et les meules pour couper les matériaux les plus durs, tels que les pavés, le marbre, le granit, l'ardoise et d'autres pierres naturelles.

Les coupe-carreaux sont des outils qui permettent d'inciser rapidement et efficacement en ligne droite et de couper la plupart des carreaux de poids léger ou moyen.

Les meules sont pratiques pour couper le granit et le marbre à condition qu'on les équipe d'une lame diamantée. Les coupes effectuées à la meule sont moins précises que celles effectuées à la scie à eau ; il vaut donc mieux utiliser cet outil pour couper les carreaux qui seront recouverts d'une moulure ou d'autres accessoires.

Séparateurs

Chiffon collant

Éponge à coulis

Applicateur d'imperméabilisant à coulis

Pinceau-éponge

OUTILS POUR POSER LES CARREAUX ET LE COULIS

La pose des carreaux est un travail qui doit être rapide et précis ; vous avez donc intérêt à rassembler le matériel nécessaire avant de l'entreprendre. Évitez de devoir chercher un outil alors que le mortier est déjà étendu. Vous possédez probablement la plupart des outils nécessaires pour installer les carreaux et poser le coulis dans votre boîte à outils ; faites-en l'inventaire avant de vous rendre dans une maisonnerie ou une quincaillerie.

Les séparateurs sont indispensables pour maintenir un écart constant entre les carreaux. On les place aux coins des carreaux et on les enlève plus tard, avant de poser le coulis.

Les éponges à coulis, les chiffons collants, les pinceaux-éponges et les applicateurs d'imperméabilisant à coulis sont utilisés après la pose du coulis. Les éponges à coulis permettent d'essuyer l'excédent de coulis, les chiffons collants d'enlever le voile de coulis, et les pinceaux-éponges et les applicateurs, d'appliquer l'imperméabilisant sur le coulis.

Les maillets en caoutchouc permettent de tapoter délicatement les carreaux et de les enfoncer uniformément dans le mortier.

Les pinces bec effilé sont utiles pour enlever les séparateurs placés entre les carreaux.

Les pistolets à calfeutrer servent à remplir les joints de dilatation entre le plancher et le couvre-joint, dans les coins intérieurs et aux endroits où les carreaux rencontrent d'autres matériaux de surface.

Les aplanissoirs à coulis servent à étendre le coulis sur les carreaux et dans les joints. On les utilise aussi pour enlever l'excédent de coulis de la surface des carreaux, après l'application. Cet outil est également utile pour enfoncer doucement les feuilles mosaïques dans le mortier.

Les truelles permettent d'appliquer le mortier sur les surfaces de pose des carreaux ou d'appliquer directement le mortier sur l'envers des carreaux coupés.

Maillet en caoutchouc

Pince à bec effilé

Aplanissoir à coulis

Truelle

Truelle à encoches

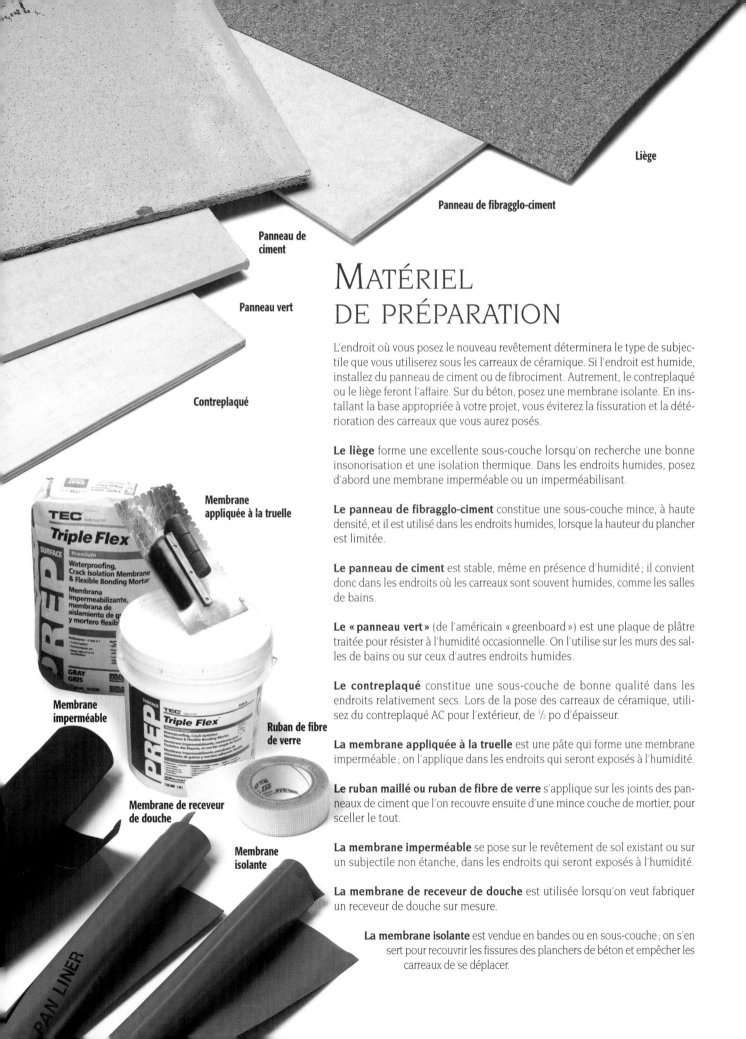

Liège

Panneau de fibragglo-ciment

Panneau de ciment

Panneau vert

Contreplaqué

Membrane appliquée à la truelle

Membrane imperméable

Membrane de receveur de douche

Ruban de fibre de verre

Membrane isolante

MATÉRIEL DE PRÉPARATION

L'endroit où vous posez le nouveau revêtement déterminera le type de subjectile que vous utiliserez sous les carreaux de céramique. Si l'endroit est humide, installez du panneau de ciment ou de fibrociment. Autrement, le contreplaqué ou le liège feront l'affaire. Sur du béton, posez une membrane isolante. En installant la base appropriée à votre projet, vous éviterez la fissuration et la détérioration des carreaux que vous aurez posés.

Le liège forme une excellente sous-couche lorsqu'on recherche une bonne insonorisation et une isolation thermique. Dans les endroits humides, posez d'abord une membrane imperméable ou un imperméabilisant.

Le panneau de fibragglo-ciment constitue une sous-couche mince, à haute densité, et il est utilisé dans les endroits humides, lorsque la hauteur du plancher est limitée.

Le panneau de ciment est stable, même en présence d'humidité ; il convient donc dans les endroits où les carreaux sont souvent humides, comme les salles de bains.

Le « panneau vert » (de l'américain « greenboard ») est une plaque de plâtre traitée pour résister à l'humidité occasionnelle. On l'utilise sur les murs des salles de bains ou sur ceux d'autres endroits humides.

Le contreplaqué constitue une sous-couche de bonne qualité dans les endroits relativement secs. Lors de la pose des carreaux de céramique, utilisez du contreplaqué AC pour l'extérieur, de ½ po d'épaisseur.

La membrane appliquée à la truelle est une pâte qui forme une membrane imperméable ; on l'applique dans les endroits qui seront exposés à l'humidité.

Le ruban maillé ou ruban de fibre de verre s'applique sur les joints des panneaux de ciment que l'on recouvre ensuite d'une mince couche de mortier, pour sceller le tout.

La membrane imperméable se pose sur le revêtement de sol existant ou sur un subjectile non étanche, dans les endroits qui seront exposés à l'humidité.

La membrane de receveur de douche est utilisée lorsqu'on veut fabriquer un receveur de douche sur mesure.

La membrane isolante est vendue en bandes ou en sous-couche ; on s'en sert pour recouvrir les fissures des planchers de béton et empêcher les carreaux de se déplacer.

MATÉRIEL POUR LA POSE DES CARREAUX ET DU COULIS

Pour que l'installation des carreaux soit durable, il est primordial de poser correctement les carreaux et le coulis. Suivez les instructions de mélange et d'application des mortiers, des liants et des adhésifs fournies par le fabricant. Ensuite, imperméabilisez le coulis pour que votre carrelage conserve longtemps sa beauté initiale.

Le mortier à prise rapide est un adhésif à base de ciment qui se vend à l'état sec et que l'on prépare en y ajoutant de l'eau jusqu'à ce qu'on obtienne un produit pâteux. Certains mortiers contiennent, à l'état sec, un additif au latex. Si ce n'est pas le cas, on ajoute cet additif au mortier à l'état liquide.

Le coulis remplit les joints entre les carreaux, et le choix de couleurs de coulis offerts dans le commerce permet d'assortir le coulis aux carreaux. Considérez la largeur des joints de coulis comme un élément décoratif de votre projet de carrelage.

Le liant au latex est un liquide que l'on ajoute au mortier pour renforcer son pouvoir liant. Certains mortiers en poudre contiennent déjà ce liant à l'état sec.

L'imperméabilisant à coulis s'applique au pinceau-éponge ; il empêche le coulis de se tacher et facilite l'entretien des carreaux.

Le mastic de carreaux pour mur s'utilise avec les baguettes ou listels de petite section utilisés comme couvre-joints.

L'adhésif de carreaux pour plancher est vendu à l'état prémélangé. Toutefois, on recommande d'utiliser plutôt le mortier à prise rapide dans l'installation de la plupart des revêtements de sol.

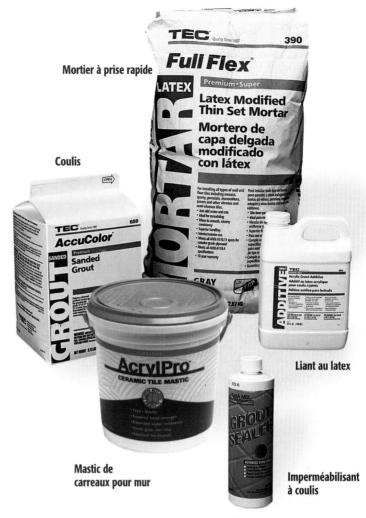

Mortier à prise rapide

Coulis

Liant au latex

Mastic de carreaux pour mur

Imperméabilisant à coulis

Adhésif de carreaux pour plancher

PRÉPARATION

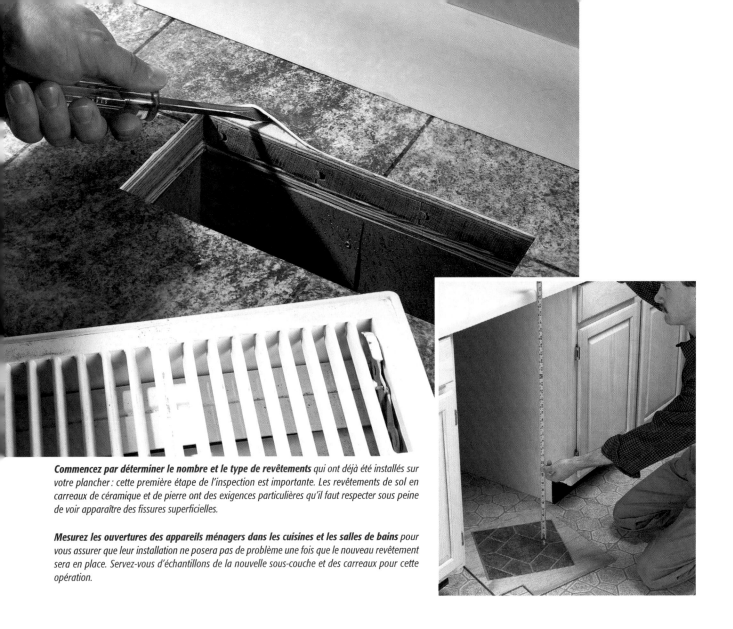

Commencez par déterminer le nombre et le type de revêtements qui ont déjà été installés sur votre plancher : cette première étape de l'inspection est importante. Les revêtements de sol en carreaux de céramique et de pierre ont des exigences particulières qu'il faut respecter sous peine de voir apparaître des fissures superficielles.

Mesurez les ouvertures des appareils ménagers dans les cuisines et les salles de bains pour vous assurer que leur installation ne posera pas de problème une fois que le nouveau revêtement sera en place. Servez-vous d'échantillons de la nouvelle sous-couche et des carreaux pour cette opération.

ÉVALUATION ET PRÉPARATION DES PLANCHERS

L'inspection et la préparation de l'endroit constituent l'étape la plus importante d'un projet de carrelage réussi. Une installation bien faite peut durer toute une vie, mais si elle a été mal préparée, elle entraînera une multitude de problèmes tels que la fissuration du coulis et la fracture des carreaux.

Comme les carreaux de céramique et de pierre sont très lourds, il faut pouvoir juger de l'état des solives, du sous-plancher et de la sous-couche, et savoir comment on les a posés. Dans la plupart des cas, on ne peut installer le nouveau revêtement sur le revêtement existant sans ajouter une sous-couche. Vérifiez auprès du distributeur les exigences des carreaux ou de la pierre que vous avez choisis.

Même si l'enlèvement des accessoires et sanitaires de la salle de bains, et les îlots sans plomberie de la cuisine entraîne un surcroît

de travail, il est important de vous y astreindre dans le cadre de votre projet de carrelage, car vous éliminerez de cette manière beaucoup de coupes et d'ajustages, et vous y verrez plus clair le jour où vous envisagerez d'autres rénovations.

Commencez par ôter les accessoires et électroménagers se trouvant dans la zone de travail, puis les plinthes et enfin l'ancien revêtement de sol. Évacuez les débris de plancher à la pelle, par la fenêtre, dans une brouette placée à l'extérieur afin d'accélérer le travail d'enlèvement. Pendez des feuilles de plastique dans les entrées de portes pour empêcher les débris et la poussière de se disperser pendant cette phase du travail, et couvrez les bouches d'aération et de chauffage au moyen de plastique en feuille et de ruban-cache.

Conseils sur la préparation des boiseries en vue du carrelage

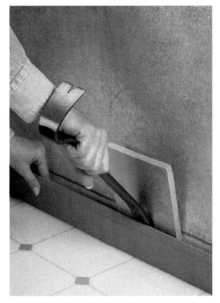

Pour enlever les plinthes, placez une planchette contre le mur afin de ne pas endommager la plaque de plâtre adjacente et enlevez la plinthe à l'aide d'un levier appuyé contre la planchette. Écartez la plinthe du mur aux endroits où sont plantés les clous. Numérotez les plinthes au fur et à mesure de leur enlèvement.

Pour préparer les encadrements des portes, mesurez l'épaisseur de la sous-couche et des carreaux et indiquez-la sur l'encadrement. Coupez celui-ci à cet endroit au moyen d'une scie à jambages.

Vérifiez la hauteur du jambage en essayant de glisser un carreau sous celui-ci; vous devez y arriver facilement.

ANATOMIE DU PLANCHER

Un plancher se compose de plusieurs couches dont l'action combinée donne le support structural nécessaire et l'apparence désirée au plancher. Les solives constituent la partie inférieure du plancher. En bois de charpente de 2 po × 10 po au moins, elles supportent le poids du plancher et sont normalement espacées de 16 po. Le sous-plancher est cloué aux solives. La plupart des sous-planchers installés depuis les années 1970 sont en contreplaqué de ¾ po, à rainure et languette mais, dans les maisons plus anciennes, on trouve des planches de bois de 1 po d'épaisseur clouées en diagonale par rapport aux solives. La plupart des entrepreneurs installent sur le sous-plancher une sous-couche de contreplaqué de ½ po d'épaisseur sur laquelle on applique un adhésif ou du mortier en vue d'installer le revêtement de sol proprement dit.

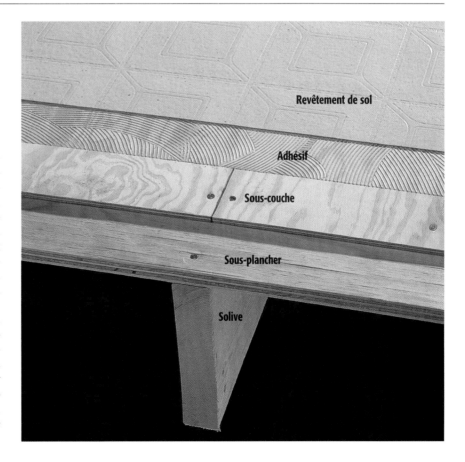

Revêtement de sol

Adhésif

Sous-couche

Sous-plancher

Solive

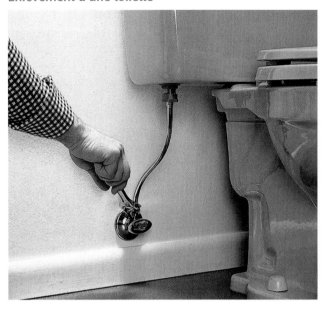

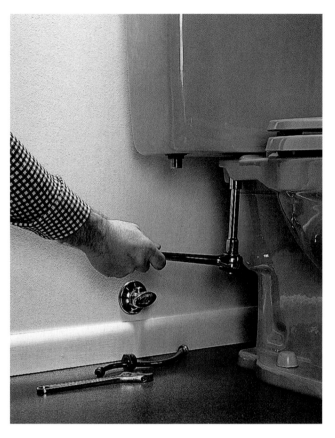

1. Coupez l'alimentation d'eau au robinet d'arrêt et vidangez le réservoir. Servez-vous d'une éponge pour enlever l'eau qui reste. Avec une clé à molette, détachez le tuyau d'alimentation.

2. Enlevez les écrous des boulons du réservoir à l'aide d'une clé à douille à cliquet. Retirez soigneusement le réservoir et mettez-le de côté.

3. Soulevez les cache-vis de la base de la toilette et enlevez les écrous des vis de plancher. Faites balancer la cuvette latéralement jusqu'à ce que le joint d'étanchéité se brise, puis soulevez-la avec soin et posez-la sur le sol. Enfilez des gants de caoutchouc pour nettoyer l'eau qui s'écoule du siphon.

4. Grattez la vieille cire de la bride et bouchez l'ouverture du drain avec un chiffon humide, pour que les émanations ne se répandent pas dans la maison. Si vous réinstallez la même toilette, enlevez la vieille cire et la pâte à joints de la corne à la base de celle-ci.

Enlèvement des lavabos

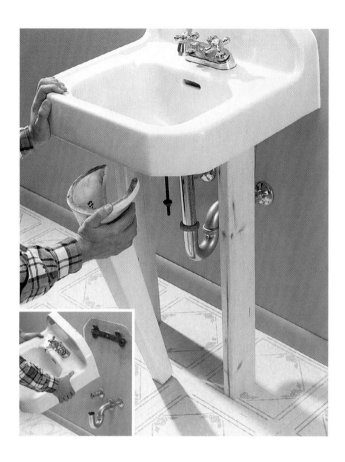

Lavabo encastré : débranchez la plomberie, puis utilisez un couteau universel pour trancher le scellant entre le rebord du lavabo et le dessus du comptoir. Soulevez ensuite le lavabo.

Lavabo sur pied : débranchez la plomberie. Si le lavabo est attaché au socle, détachez-le. Placez sous le lavabo des pièces de bois de 2 po × 4 po qui le soutiennent. Enlevez le socle, tranchez le scellant, puis soulevez le lavabo pour le retirer de ses supports.

Enlèvement des meubles-lavabos

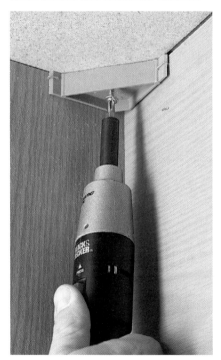

1. Détachez la quincaillerie de montage située sous le comptoir du meuble.

2. Tranchez le scellant posé entre le mur et le dessus du comptoir. Enlevez le dessus de comptoir en le séparant du meuble à l'aide d'un levier, le cas échéant.

3. Enlevez les clous ou les vis, qui sont habituellement enfoncés dans la traverse arrière du meuble et qui ancrent celui-ci au mur.

Utilisez un grattoir de plancher pour enlever les morceaux de revêtement résilient et pour gratter l'adhésif ou les morceaux de support résiduels. Son long manche fait fonction de levier et procure la force nécessaire au travail ; et il est ergonomique. Il vous permettra d'enlever la plus grande partie du revêtement de sol, mais vous devrez achever le travail avec d'autres outils.

ENLÈVEMENT DES REVÊTEMENTS DE SOL

Lorsqu'on enlève les anciens revêtements de sol, il faut absolument effectuer un travail méticuleux et soigné pour que l'installation du nouveau revêtement soit satisfaisante.

La difficulté que présente l'enlèvement du revêtement de sol dépend du type de revêtement auquel on a affaire et de la méthode qui a été utilisée pour l'installer. Il est généralement assez simple d'enlever les moquettes et le vinyle à encollage périmétrique, mais il en va tout autrement des revêtements en feuilles de vinyle à encollage complet, qui sont parfois difficiles à retirer, et des carreaux de céramique, dont l'enlèvement demande beaucoup de travail.

Pour tous ces travaux, assurez-vous que les lames de vos outils sont bien affûtées et évitez d'endommager la sous-couche si vous avez l'intention de la réutiliser. Par contre, si vous la remplacez, vous avez probablement avantage à l'ôter en même temps que le revêtement de sol (voir p. 54 et 55).

Les revêtements résilients antérieurs à 1986 peuvent contenir de l'amiante. Avant de les enlever, consultez un expert en confinement de l'amiante ou faites analyser un échantillon de revêtement. S'il n'y a pas d'amiante, portez quand même un masque antipoussières de bonne qualité.

TOUT CE DONT VOUS AVEZ BESOIN

• **Outils :** grattoir de plancher, couteau universel, flacon à pulvériser, couteau à plaques de plâtre, aspirateur à eaux et poussières, pistolet chauffant, masse, couteau de maçon, levier plat, tenailles.

• **Matériel :** détergent à vaisselle.

Enlèvement du vinyle en feuilles

1. Ôtez les plinthes si nécessaire. À l'aide d'un couteau universel, découpez l'ancien revêtement en bandes d'environ un pied de large.

2. Arrachez-en la plus grande partie possible à la main, en agrippant les bandes près du plancher pour éviter de les déchirer.

3. Si vous sentez de la résistance, coupez des bandes plus étroites, d'environ 5 po de large. Commencez près du mur et arrachez la plus grande partie possible des bandes de revêtement restantes. Si l'envers du revêtement reste partiellement collé, aspergez-le, sous la surface décollée, d'une solution aqueuse de détergent à vaisselle, pour faciliter la séparation du vinyle et de l'envers. Utilisez un couteau à plaques de plâtre pour enlever les morceaux qui restent collés.

4. Grattez le reste du revêtement avec un grattoir de plancher. Aspergez l'envers du matériau avec la solution de détergent, pour le décoller, si nécessaire. Balayez le plancher pour enlever les débris, puis terminez le nettoyage avec un aspirateur à eaux et poussières. **Conseil :** remplissez l'aspirateur d'environ un pouce d'eau (pour éviter la poussière).

Enlèvement des carreaux de vinyle

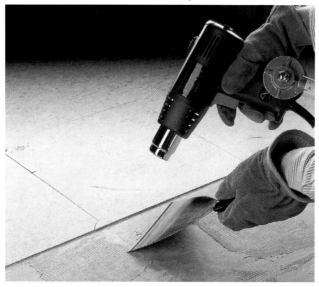

1. Ôtez les plinthes, si nécessaire. Commencez le travail à l'endroit d'un joint décollé et enlevez les carreaux au moyen d'un grattoir de plancher à long manche. Ramollissez l'adhésif des carreaux récalcitrants à l'aide d'un pistolet chauffant et, à l'aide d'un couteau à plaques de plâtre, soulevez les carreaux et grattez l'adhésif attaché au plancher.

2. Grattez le reste de l'adhésif ou du dossier avec un grattoir de plancher, après avoir humidifié le plancher avec une solution aqueuse de détergent.

Enlèvement des carreaux de céramique

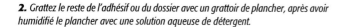

1. Enlevez les plinthes si nécessaire. Détachez les carreaux en utilisant une masse et un ciseau de maçon. Commencez autant que possible dans un joint où le coulis s'effrite. Soyez prudent lorsque vous travaillez autour d'accessoires fragiles tels que les brides des drains.

2. Si vous avez l'intention de réutiliser la sous-couche, débarrassez-la des restes d'adhésif au moyen d'un grattoir de plancher. Vous devrez peut-être achever ce travail à l'aide d'une ponceuse munie d'une courroie à grain grossier.

Enlèvement des moquettes

1. À l'aide d'un couteau universel, découpez la moquette le long des bandes de seuil pour la dégager. Enlevez les bandes de seuil au moyen d'un levier plat.

2. Découpez la moquette en morceaux suffisamment petits pour être arrachés facilement. Enroulez-les, sortez la vieille moquette de la pièce et détachez ensuite la thibaude. **Note :** la thibaude est souvent agrafée au plancher ; elle se déchirera en morceaux lorsque vous voudrez l'enrouler.

3. À l'aide de tenailles ou de pinces, enlevez les agrafes du plancher. **Conseil :** si vous avez l'intention de poser une nouvelle moquette, conservez les bandes à griffes si elles sont en bon état.

Variante : pour enlever une moquette collée, commencez par la découper en bandes, à l'aide d'un couteau universel, puis arrachez-en la plus grande partie possible. À l'aide d'un grattoir de plancher, grattez les restes de coussin et d'adhésif.

53

Enlevez en une fois le revêtement de sol et la sous-couche. *C'est la méthode la plus efficace lorsque le revêtement de sol est collé à la sous-couche.*

ENLÈVEMENT DE LA SOUS-COUCHE

Les entrepreneurs enlèvent souvent en une fois la sous-couche et le revêtement, avant d'installer le nouveau revêtement. Ainsi, ils économisent du temps et ils peuvent installer une nouvelle sous-couche parfaitement adaptée au nouveau revêtement de sol. Les bricoleurs qui utilisent cette technique doivent s'arranger pour découper le revêtement de sol en morceaux faciles à manipuler.

Avertissement : cette méthode libère des particules de revêtement de sol dans l'atmosphère : assurez-vous que le revêtement que vous enlevez ne contient pas d'amiante.

Conseil : *examinez le mode de fixation de la sous-couche au sous-plancher. À l'aide d'un tournevis, dégagez les têtes des clous ou des vis de fixation. Si ce sont des vis, il vous faudra enlever le revêtement de sol pour pouvoir dévisser la sous-couche.*

TOUT CE DONT VOUS AVEZ BESOIN

• **OUTILS :** lunettes de sécurité, gants, scie circulaire munie d'une lame à pointe de carbure, levier plat, scie alternative, ciseau à bois.

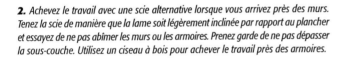

1. Enlevez les plinthes si nécessaire. Réglez la profondeur de coupe d'une scie circulaire pour qu'elle corresponde à l'épaisseur combinée du revêtement et de la sous-couche. Munissez la scie d'une lame à pointes de carbure et découpez le revêtement et la sous-couche en sections d'environ trois pieds carrés. Assurez-vous de porter des lunettes de sécurité et des gants.

2. Achevez le travail avec une scie alternative lorsque vous arrivez près des murs. Tenez la scie de manière que la lame soit légèrement inclinée par rapport au plancher et essayez de ne pas abîmer les murs ou les armoires. Prenez garde de ne pas dépasser la sous-couche. Utilisez un ciseau à bois pour achever le travail près des armoires.

3. Séparez la sous-couche du sous-plancher au moyen d'un levier et d'un marteau. Débarrassez-vous immédiatement de chaque section enlevée, en prenant garde aux clous qui dépassent.

Variante : si votre revêtement est en carreaux de céramique collés sur une sous-couche en contreplaqué, utilisez un maillet et un ciseau de maçon pour casser les carreaux, le long de la ligne de coupe, avant de les découper en morceaux avec la scie circulaire.

Avant d'installer une nouvelle sous-couche et un nouveau revêtement de sol, rattachez aux solives les parties desserrées du sous-plancher, à l'aide de vis de 2 po.

RÉPARATION DES SOUS-PLANCHERS

Bien fixé, le sous-plancher prévient les mouvements et les craquements du plancher et il garantit la durabilité du nouveau revêtement de sol. Après avoir enlevé l'ancienne sous-couche, inspectez le sous-plancher pour découvrir les éventuels joints desserrés, les possibles dommages causés par l'humidité, les fissures et autres défectuosités. L'existence de creux et de bosses peut justifier la réparation de certaines solives, ou plus simplement l'application d'un produit à aplanir.

Il faut inspecter les planchers de béton en vue de découvrir les fissures et les trous, qui peuvent être réparés, ainsi que les creux et les bosses, qu'on peut éliminer en appliquant un produit à aplanir. Les planchers de béton nécessitent parfois l'installation d'une membrane isolante (voir p. 63) qui protège les carreaux contre la fissuration.

TOUT CE DONT VOUS AVEZ BESOIN

- **OUTILS :** truelle, règle rectifiée, équerre de charpentier, perceuse, scie circulaire, tire-clou, ciseau à bois, clé à rochet, aspirateur, râteau épandeur réglable, marteau, mètre à ruban.

- **MATÉRIEL :** vis à plancher de 2 po, produit à aplanir, contreplaqué, bois scié de 2 po × 4 po, clous ordinaires 10d, vis tire-fond, rouleau à peindre.

Utilisez un produit à aplanir pour remplir les creux et les parties basses des sous-planchers en contreplaqué. Mélangez le produit avec un additif acrylique ou au latex, en suivant les instructions du fabricant.

Application du produit à aplanir

1. *Mélangez le produit à aplanir conformément aux instructions du fabricant et étalez-le sur le sous-plancher, à l'aide d'une truelle. Étendez de minces couches successives, pour éviter tout excès de produit.*

2. *À l'aide d'un niveau, vérifiez si la surface réparée est au même niveau que la surface qui l'entoure ; ajoutez du produit à aplanir si nécessaire. Laissez sécher le produit et éliminez toute aspérité avec le bord de la truelle, ou poncez la surface, si nécessaire.*

Remplacement d'une section de sous-plancher

1. *Découpez les parties du sous-plancher qui sont endommagées. Tracez un rectangle sur le sous-plancher, autour de la partie endommagée, en utilisant une équerre de charpentier et en veillant à ce que deux côtés du rectangle soient centrés sur des solives du plancher. À l'aide d'un tire-clou, ôtez tous les clous se trouvant sur les lignes de coupe. Réglez la profondeur de coupe de la scie circulaire en fonction de l'épaisseur du sous-plancher et découpez le rectangle. Près des murs, achevez le travail à l'aide d'un ciseau.*

2. *Sortez la partie abîmée et consolidez l'endroit en clouant deux blocs en bois de 2 po × 4 po entre les solives, de manière que leur face supérieure soit centrée sous les bords de la découpe pratiquée dans le sous-plancher. Si possible, clouez les blocs « d'extrémité », en travaillant en dessous des solives. Sinon, enfoncez des clous 10d en biais.*

3. *Mesurez le trou et découpez la pièce de remplacement, en utilisant du contreplaqué de la même épaisseur que celle du sous-plancher d'origine. Fixez la pièce de remplacement aux solives et aux cales, à l'aide de vis de 2 po, espacées d'environ 5 po.*

Renforcement des solives de plancher

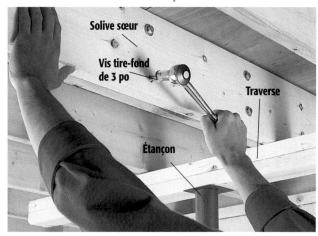

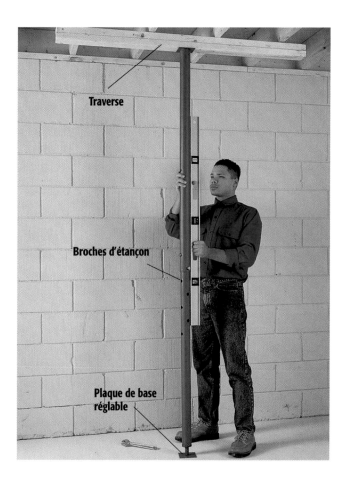

Pour renforcer une solive, *installez une solive sœur le long de celle-ci, en utilisant des vis tire-fond de 3 po. En règle générale, la solive sœur doit avoir la même longueur que la solive à renforcer. Il faut l'installer aux endroits où des solives sont abîmées et sous le plancher, à l'endroit où celui-ci devra supporter le poids supplémentaire d'une baignoire ou d'un bain tourbillon, par exemple.*

Installez un étançon et une traverse *sous le plancher qui s'affaisse. Réglez l'étançon à sa hauteur approximative et placez-le d'aplomb. Levez l'étançon en faisant tourner l'axe fileté qui dépasse à sa base; la pression maintiendra l'étançon et la traverse en place. Ne levez pas l'étançon de plus de ¼ po par semaine, et procédez de la sorte jusqu'à ce que le plancher qui le surmonte soit de niveau. Consultez un inspecteur, car les codes du bâtiment restreignent parfois l'utilisation des étançons.*

Redressement d'une solive bombée

1. *Si vous constatez un bombement dans le plancher, inspectez l'endroit à l'aide d'un niveau et déterminez le point le plus haut. Déplacez le niveau en différents endroits et notez chaque fois l'écart entre le plancher et les extrémités du niveau. Marquez le point le plus haut de la bosse et mesurez sa position par rapport à un élément qui traverse le plancher de part en part, comme un mur extérieur ou une gaine de chauffage. À l'aide de cette mesure, marquez le point haut de la solive bombée, en dessous du plancher.*

2. *Au moyen d'une scie alternative, faites une entaille droite dans la solive, de bas en haut, à l'endroit du point le plus haut du bombement. Entaillez la solive aux trois quarts. Attendez quelques semaines que la solive se relâche et se redresse, tout en vérifiant régulièrement le plancher avec un niveau. Ne surchargez pas le plancher à l'endroit de la solive.*

3. *Quand la solive a repris sa place, renforcez-la en y clouant une planche de même section. La pièce de renfort doit avoir au moins 6 pi de long; fixez-la au moyen de clous ordinaires 16d, plantés par paires, en quinconce, tous les 12 po. Enfoncez une rangée de trois clous de chaque côté de l'entaille faite dans la solive.*

Ragréage des planchers de béton

1. Nettoyez le plancher à l'aspirateur, et à l'aide d'un ciseau de maçon et d'un marteau, enlevez les particules de béton détachées et le béton qui s'écaille. Mélangez un lot de produit de ragréage pour plancher, à base de vinyle, en suivant les instructions du fabricant. Appliquez le produit au moyen d'une truelle lisse, en remplissant exagérément la cavité. Lissez l'endroit réparé pour qu'il affleure la surface en béton.

2. Après avoir laissé complètement sécher le produit de ragréage, lissez les endroits réparés à l'aide d'un grattoir de plancher.

Application de la pâte de nivellement

1. Enlevez les particules de matériaux détachées et nettoyez complètement le béton ; la surface doit être exempte de poussière, de saleté, d'huile et de peinture. À l'aide d'un rouleau à peindre à longs poils, appliquez une couche uniforme d'apprêt pour béton sur toute la surface. Laissez complètement sécher l'apprêt.

2. En suivant les instructions du fabricant, mélangez la pâte de nivellement avec de l'eau. Le lot préparé doit suffire à couvrir d'une couche de l'épaisseur désirée (qui peut atteindre 1 po) la surface entière du plancher. Versez la pâte de nivellement directement sur le plancher.

3. Répartissez uniformément la pâte de nivellement, à l'aide d'un râteau épandeur réglable. Exécutez le travail rapidement, car cette pâte commence à durcir après 15 minutes. Vous pouvez vous servir d'une truelle pour amincir les bords et rendre insensible le passage vers les endroits non recouverts de pâte. Laissez sécher la pâte de nivellement pendant 24 heures.

Contreplaqué

Panneau de fibragglo-ciment

Panneau de ciment

Membrane isolante

INSTALLATION DE LA SOUS-COUCHE

Les planchers en carreaux de céramique ou en pierre naturelle demandent une sous-couche qui résiste à l'humidité, comme celle en panneaux de ciment. Si vous comptez utiliser votre ancien revêtement de sol comme sous-couche, appliquez-y une couche de produit à aplanir (voir ci-dessous, à gauche).

Lorsque vous installez une nouvelle sous-couche, attachez-la fermement partout au sous-plancher, même en dessous des appareils électroménagers mobiles. Découpez la sous-couche pour qu'elle épouse les contours de la pièce. Aux endroits des encadrements de portes et autres moulures, vous pouvez entailler ces garnitures pour pouvoir y glisser la sous-couche.

Le contreplaqué est généralement utilisé comme sous-couche pour les revêtements en carreaux de vinyle ou en carreaux de céramique. Pour les carreaux de céramique, utilisez du contreplaqué AC de ½ po. N'utilisez pas de panneaux de particules, de panneaux OSB (à copeaux orientés) ou de bois traité.

Le panneau de fibragglo-ciment est une sous-couche mince, de haute densité, utilisée sous les carreaux de céramique lorsque la hauteur du plancher l'exige. (Pour son installation, suivez les instructions données pour le panneau de ciment, p. 62).

Le panneau de ciment n'est utilisé que sous les carreaux de céramique (ou la pierre). Sa stabilité dimensionnelle, même sous l'effet de l'humidité, en fait la meilleure sous-couche dans les endroits humides, comme les salles de bains.

La membrane isolante sert à protéger les carreaux de céramique contre les mouvements qui peuvent survenir lorsqu'un plancher en béton se fissure. On l'utilise surtout sous forme de bandes de membrane servant à réparer des fissures, mais on peut également en recouvrir toute la surface d'un plancher. La membrane isolante existe aussi sous la forme d'un liquide qu'il suffit de déverser sur la surface du plancher.

Le produit à aplanir *ressemble à du mortier, et on s'en sert lorsqu'on désire faire d'un ancien revêtement de sol résilient ou un revêtement de carreaux de céramique une sous-couche qui adhère bien. Mélangez le produit en suivant les instructions du fabricant et étalez-en une mince couche sur le plancher, au moyen d'un aplanissoir. Essuyez l'excès de produit en vous assurant que tous les creux sont bien remplis. Travaillez rapidement, car le produit commence à sécher après 10 minutes. Lorsque le produit est sec, grattez les aspérités avec une truelle.*

TOUT CE DONT VOUS AVEZ BESOIN

- **Outils :** perceuse, scie circulaire, couteau à plaques de plâtre, ponceuse à commande mécanique, truelle à encoches de ¼ po, règle rectifiée, couteau universel, scie sauteuse à lame au carbure, truelle à encoches de ⅛ po, rouleau de plancher.

- **Matériel :** sous-couche de contreplaqué, vis de plancher de 1 po, produit à aplanir, additif au latex, mortier à prise rapide, vis de plancher galvanisées de 1½ po, panneau de ciment, ruban à plaques de plâtre en fibre de verre maillée.

Installation d'une sous-couche en contreplaqué

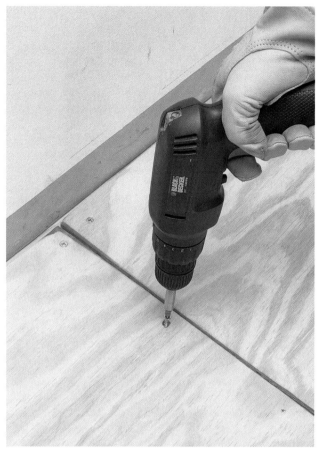

1. Commencez par installer une feuille entière de contreplaqué le long du mur le plus long, en vous assurant que les joints de la sous-couche ne sont pas alignés sur ceux du sous-plancher. Fixez le contreplaqué au sous-plancher au moyen de vis de 1 po, enfoncées tous les 6 po le long des bords, et tous les 8 po dans le reste de la feuille.

2. Continuez d'attacher les feuilles de contreplaqué au sous-plancher, en enfonçant légèrement les têtes des vis sous la surface de la sous-couche. Laissez un joint de dilation de ¼ po le long des murs et entre les feuilles. Décalez les joints d'une rangée à l'autre.

3. Utilisez une scie circulaire ou une scie sauteuse pour pratiquer des entailles dans les feuilles de contreplaqué de manière qu'elles épousent les contours du plancher existant aux entrées de porte ; attachez ces feuilles au sous-plancher.

4. Mélangez un additif à base de latex ou de résine acrylique à du reboucheur de plancher, en suivant les instructions du fabricant et, à l'aide d'un couteau à plaques de plâtre, étalez le mélange sur les joints et les têtes des vis.

5. Laissez sécher le reboucheur, puis poncez ces endroits au moyen d'une ponceuse à commande mécanique.

Installation de panneaux de ciment

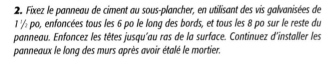

1. Mélangez du mortier à prise rapide (voir p. 43) en suivant les instructions du fabricant. Commencez par le mur le plus long et, à l'aide d'une truelle à encoches de ¼ po, étendez le mortier sur le sous-plancher en faisant un mouvement en forme de huit. Étendez le mortier nécessaire à l'installation d'un seul panneau à la fois. Placez le panneau sur le mortier, le côté rugueux vers le haut, en vous assurant que les bords du panneau sont décalés par rapport aux joints du sous-plancher.

2. Fixez le panneau de ciment au sous-plancher, en utilisant des vis galvanisées de 1½ po, enfoncées tous les 6 po le long des bords, et tous les 8 po sur le reste du panneau. Enfoncez les têtes jusqu'au ras de la surface. Continuez d'installer les panneaux le long des murs après avoir étalé le mortier.

3. Coupez les panneaux de ciment aux endroits voulus, en laissant un espace vide de ⅛ po à tous les joints, et de ¼ po le long du périmètre de la pièce. Pour pouvoir effectuer des coupes droites, utilisez un couteau universel pour tracer une rainure à travers la couche de fibre maillée et cassez ensuite le panneau en donnant un coup sec le long de cette ligne.

4. Pour découper des ouvertures, des encoches ou des formes irrégulières, utilisez une scie sauteuse munie d'une lame au carbure. Continuez d'installer les panneaux de ciment jusqu'à ce que le plancher soit entièrement recouvert. **Mortaise :** si plusieurs sous-couches ont été superposées dans une salle de bains, il faut allonger le raccord de la bride ou prévoir un anneau de cire plus épais pour installer correctement la toilette.

5. Placez du ruban à plaques de plâtre en fibre de verre maillée sur les joints. À l'aide d'un couteau à plaques de plâtre, appliquez une mince couche de mortier à prise rapide sur les joints, de manière à remplir les espaces vides entre les panneaux et à étendre une mince couche de mortier sur le ruban. Laissez sécher le mortier pendant deux jours avant de commencer à installer les carreaux.

Installation d'une membrane isolante

1. Nettoyez à fond le sous-plancher et appliquez ensuite une mince couche de mortier à prise rapide (voir p. 43) à l'aide d'une truelle à encoches de $^1/_8$ po. Commencez le long d'un mur, là où le plancher est aussi large que la membrane et où il a entre 8 et 10 pi de long. **Note :** pour certaines membranes, il faut utiliser un autre produit que le mortier. Lisez sur l'étiquette les instructions fournies par le fabricant.

2. Déroulez la membrane sur la couche de mortier. Coupez-la au ras des murs à l'aide d'une règle rectifiée et d'un couteau universel.

3. Égalisez la surface en poussant un lourd rouleau à plancher (loué dans un centre de location) du centre vers les bords de la membrane. Cette opération permet d'évacuer l'air emprisonné sous la membrane et d'exsuder l'excès d'adhésif.

4. Répétez les trois premières étapes ci-dessus, en coupant la membrane aux endroits voulus, le long des murs et autour des obstacles, jusqu'à ce que le plancher soit entièrement couvert de la membrane. Ne faites pas chevaucher les joints, mais assurez-vous qu'ils sont serrés. Laissez sécher le mortier pendant deux jours avant d'installer les carreaux.

INSTALLATION D'UN SYSTÈME DE RÉCHAUFFAGE DE PLANCHER

Les systèmes de réchauffage de plancher consomment très peu de courant et ne servent qu'à réchauffer les carrelages de céramique ; on ne les utilise généralement pas comme source de chaleur unique dans une pièce.

Un système de réchauffage de plancher comprend normalement un ou plusieurs matelas de faible épaisseur contenant des résistances électriques qui chauffent lorsqu'elles sont traversées par un courant électrique, comme cela se passe dans une couverture chauffante. On installe ces matelas sous le carrelage et on les connecte à un circuit de 120 volts à disjoncteur de mise à la terre. Un thermostat contrôle la température du plancher, et une minuterie met automatiquement le système sous tension et hors tension.

Le système montré ici comprend deux matelas de toile plastique munis l'un et l'autre de leurs fils conducteurs, reliés directement au thermostat. Les matelas reposent sur un plancher de béton et sont recouverts d'adhésif à prise rapide et de carreaux de céramique. Si votre sous-plancher est en bois, installez des panneaux de fibragglociment avant de poser les matelas.

Étape importante de l'installation : tester à plusieurs reprises la résistance du système pour s'assurer que les fils chauffants n'ont pas été endommagés pendant le transport ou l'installation.

L'alimentation électrique d'un système de réchauffage de plancher dépend de sa taille. Un petit système peut être connecté à un circuit à disjoncteur de mise à la terre existant, mais si le système est plus important, il devra posséder son propre circuit ; suivez les instructions du fabricant.

Pour commander un système de réchauffage de plancher, communiquez avec le fabricant ou son représentant. Dans la plupart des cas, vous pourrez leur envoyer les plans de votre salle de bains et ils vous proposeront un système fait sur mesure.

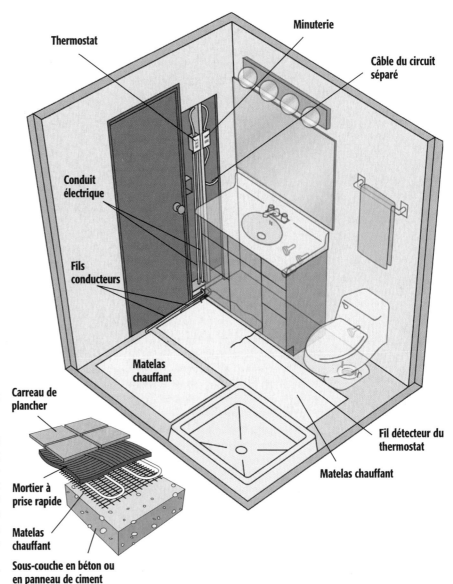

Thermostat

Minuterie

Câble du circuit séparé

Conduit électrique

Fils conducteurs

Matelas chauffant

Carreau de plancher

Mortier à prise rapide

Matelas chauffant

Sous-couche en béton ou en panneau de ciment

Fil détecteur du thermostat

Matelas chauffant

TOUT CE DONT VOUS AVEZ BESOIN

- **Outils :** multimètre, perceuse, fil à plomb, ciseau à bois, coupe-tube, outil tout usage, aspirateur, cordeau traceur, meuleuse, pistolet colleur, fil de tirage, outils de carrelage (p. 41).

- **Matériel :** système de réchauffage de plancher, boîte électrique double de 2 1/2 po × 4 po avec adaptateur de couvercle de 4 po, boîte électrique simple de 2 1/2 po de profondeur, conduit électrique à paroi mince de 1/2 po de diamètre, colliers à vis de serrage, câble NM de calibre 12, serre-câbles, ruban double face, ruban isolant, serre-câbles isolés, capuchons de connexion, produits de carrelage (voir p. 43).

Les systèmes de réchauffage de plancher doivent faire partie d'un circuit ayant une intensité de courant adéquate et muni d'un disjoncteur de fuite à la terre (que le fabricant intègre parfois au système). Les petits systèmes peuvent être reliés à un circuit existant, mais les systèmes plus importants requièrent souvent un circuit séparé. Conformez-vous aux prescriptions des codes locaux de l'électricité et du bâtiment qui s'appliquent à votre cas.

1. Vérifiez la résistance électrique (en Ohms) de chaque matelas chauffant à l'aide d'un multimètre. Notez les lectures et comparez-les à celles relevées en usine par le fabricant. Les vôtres doivent tomber dans les limites acceptables, déterminées par le fabricant. Si ce n'est pas le cas, le matelas a été endommagé et il ne faut pas l'installer ; faites-en part au fabricant.

2. Installez les boîtes électriques du thermostat et de la minuterie dans un endroit accessible. Ôtez la surface murale pour exposer la charpente. Placez les boîtes à environ 60 po du plancher, en vous assurant que les fils conducteurs des matelas chauffants atteignent la boîte double. Montez la boîte électrique double de 2 $\frac{1}{2}$ po de profondeur × 4 po de large (du thermostat) sur le poteau mural le plus rapproché de l'endroit choisi, et la boîte électrique simple (de la minuterie) de l'autre côté du même poteau.

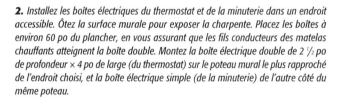

3. À l'aide d'un fil à plomb, marquez sur la lisse les points qui se trouvent à la verticale des deux pastilles défonçables de la boîte du thermostat. À chacun de ces points, forez un trou de $\frac{1}{2}$ po de diamètre, dans le côté horizontal de la lisse, et forez ensuite, le plus près possible du plancher, deux autres trous, sur une droite horizontale et perpendiculairement aux premiers, qui les rencontrent. (Ces trous serviront au passage des conducteurs et du fil détecteur du thermostat.) Nettoyez les trous avec un ciseau à bois pour faciliter le passage des fils.

4. À l'aide d'un coupe-tube, coupez deux longueurs de conduit électrique de $\frac{1}{2}$ po, à paroi mince, et installez-les entre la boîte du thermostat et la lisse. Enfoncez l'extrémité inférieure de chaque conduit d'environ $\frac{1}{4}$ po dans la lisse, et fixez l'extrémité supérieure à la boîte du thermostat, au moyen de colliers à vis de serrage. **Note :** si vous installez trois matelas ou plus, utilisez plutôt un conduit de $\frac{3}{4}$ po de diamètre.

Suite à la page suivante

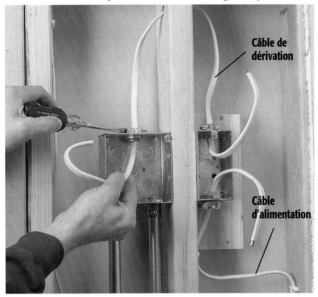

Câble de dérivation

Câble d'alimentation

2 po minimum

5. *Installez un câble électrique NM (non métallique) de calibre 12, qui va du tableau de distribution (alimentation de courant) à la boîte de la minuterie. Attachez le câble à la boîte au moyen d'un collier de serrage, en laissant dépasser de la boîte un bout de câble de 8 po de long. Forez au centre du poteau mural un trou de ⅝ po, qui se trouve à environ 12 po au-dessus des boîtes. Installez un bout de câble de dérivation allant de la boîte de la minuterie à la boîte du thermostat, en l'attachant de part et d'autre au moyen de colliers de serrage. Le câble de dérivation ne doit pas être tendu en traversant le poteau.*

6. *Passez soigneusement le plancher à l'aspirateur. Faites le schéma d'agencement des carreaux de céramique et tracez les lignes de référence en vue de leur installation (voir p. 83 et 84). Étendez les matelas chauffants sur le plancher, en plaçant les fils conducteurs le plus près possible des boîtes électriques. Gardez les matelas à une distance de 3 à 6 po des murs, des douches, des baignoires et des bords de toilette. Vous pouvez les placer dans les retraits d'un meuble-lavabo, mais pas en dessous ni sur les joints de dilatation de la dalle de béton. Rapprochez les bords des matelas, mais ne les laissez pas se chevaucher: les fils chauffants de chaque matelas doivent se trouver à au moins 2 po de ceux du matelas voisin.*

7. *Vérifiez si les fils conducteurs atteignent bien la boîte du thermostat. Attachez ensuite les matelas au plancher au moyen de bandes de ruban double face, espacées de 24 po. Assurez-vous que les matelas sont bien à plat et ne présentent ni ondulations ni plis. Appuyez fermement sur les matelas pour qu'ils adhèrent au ruban.*

8. *À l'aide d'une meule ou d'une tranche à froid et d'un marteau, creusez des renfoncements entre les conduits électriques et les fils chauffants des matelas pour pouvoir y enfoncer les fils de connexion. Ces fils isolés sont trop gros pour reposer simplement sous les carreaux, il faut donc les enfoncer dans le plancher et faire en sorte qu'ils arrivent à ⅛ po de la surface. Débarrassez le plancher de tous les débris et fixez les fils de connexion dans le renfoncement prévu, au moyen d'un cordon de colle chaude.*

9. Faites passer un fil de tirage dans le conduit, de haut en bas et, à l'aide de ruban isolant, attachez les fils conducteurs des matelas à son extrémité inférieure. Tirez le fil de tirage à travers le conduit, vers le haut, et détachez les fils conducteurs du fil de tirage ; attachez les fils conducteurs à la boîte au moyen de serre-câbles isolés. Utilisez une cisaille de type aviation ou une cisaille de ferblantier pour couper l'excédent des fils conducteurs qui ne doivent dépasser les serre-câbles que de 8 po.

10. Introduisez le fil détecteur de chaleur dans le conduit restant et insérez-le dans les mailles du matelas le plus proche. Déposez des points de colle chaude pour que le fil détecteur adhère au matelas, entre les fils de résistance bleus, et que son extrémité se trouve à une distance de 6 à 12 po du bord du matelas. Testez la résistance des matelas chauffants à l'aide d'un multimètre (voir étape 1, p. 65), afin de vérifier s'ils fonctionnent. Notez le résultat de la lecture.

11. Installez les carreaux de céramique (p. 116 à 120). Utilisez un mortier à prise rapide comme adhésif et étendez-le soigneusement sur le plancher et les matelas, à l'aide d'une truelle à encoches carrées de ³⁄₈ po × ¹⁄₄ po. Vérifiez régulièrement la résistance des matelas pendant cette installation. Si un matelas est endommagé, enlevez le mortier qui le recouvre et entrez en contact avec le fabricant. Lorsque l'installation est terminée, vérifiez une dernière fois la résistance des matelas et notez les lectures relevées.

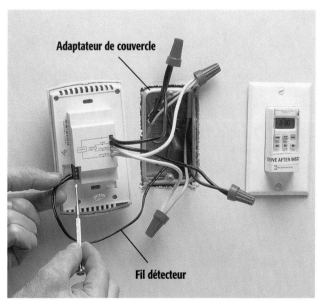

Adaptateur de couvercle

Fil détecteur

12. Placez un adaptateur de couvercle sur la boîte du thermostat et refermez l'ouverture pratiquée dans le mur avec un morceau de plaque de plâtre. Achevez les connexions du thermostat et de la minuterie en suivant les instructions du fabricant. Attachez le fil détecteur à la connexion de la vis de serrage du thermostat. Collez les étiquettes de câblage du fabricant sur la boîte du thermostat et le tableau de distribution. Montez le thermostat et la minuterie. Achevez la connexion du circuit au tableau de distribution ou à la connexion de dérivation. Testez le système après avoir laissé complètement sécher les matériaux du revêtement de sol.

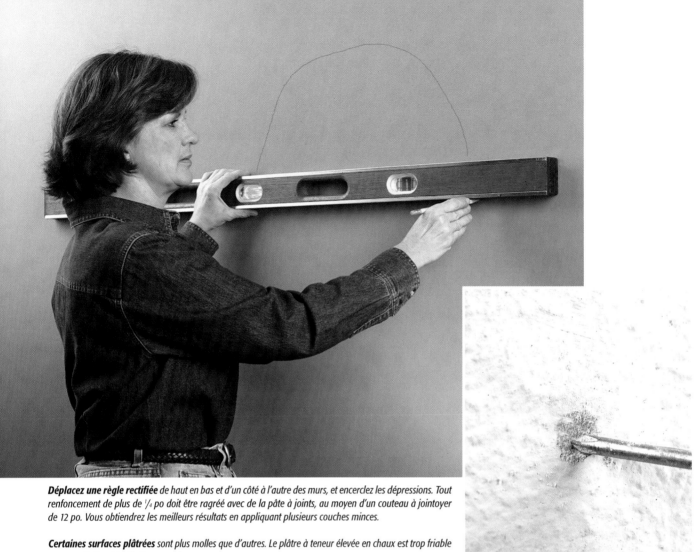

Déplacez une règle rectifiée de haut en bas et d'un côté à l'autre des murs, et encerclez les dépressions. Tout renfoncement de plus de ¹/₄ po doit être ragréé avec de la pâte à joints, au moyen d'un couteau à jointoyer de 12 po. Vous obtiendrez les meilleurs résultats en appliquant plusieurs couches minces.

Certaines surfaces plâtrées sont plus molles que d'autres. Le plâtre à teneur élevée en chaux est trop friable pour servir de subjectile à un carrelage.

ÉVALUATION ET PRÉPARATION DES MURS

Le subjectile d'un carrelage doit avoir une bonne stabilité dimensionnelle, c'est-à-dire qu'il ne doit ni se dilater ni se contracter sous l'effet des changements de température ou d'humidité. C'est pour cette raison qu'il faut enlever le papier peint avant de carreler les murs. Même les murs peints doivent être préparés pour le carrelage. Ainsi, une peinture qui risque de s'écailler doit être soigneusement poncée au préalable.

Les murs de béton lisses peuvent être carrelés, mais il faut préparer le béton en le nettoyant avec un produit approprié avant d'y appliquer un liant pour béton. Utilisez une meuleuse pour enlever toute aspérité. Installez une membrane isolante (voir p. 76 et 77) pour empêcher les carreaux de se fissurer au cas où le mur se fissurerait, ce qui arrive fréquemment.

Les murs de briques ou de blocs conviennent bien au carrelage, mais leur surface, trop rugueuse, doit recevoir un traitement préalable. Mélangez un supplément de ciment Portland à du mortier et appliquez une couche uniforme et lisse de ce mélange sur les murs ; laissez-le sécher complètement avant de commencer le carrelage proprement dit.

On peut poser un carrelage sur des carreaux existants à condition de rendre leur glaçure assez rugueuse pour faire tenir l'adhésif. Mais il faut tenir compte du fait que les nouveaux carreaux se trouveront ainsi d'autant plus éloignés du mur, ce qui peut poser problème le long des bords et autour des prises de courant, des fenêtres, des portes et des autres obstacles.

Dans certains cas, il vaut mieux enlever l'ancien subjectile et en installer un nouveau (voir p. 72 à 75). Et même si le subjectile est approprié et en bon état, vous devez examiner le mur et vous assurer qu'il est d'aplomb et plane, et corriger ses éventuels défauts de surface avant d'entamer le carrelage.

Replâtrage des trous

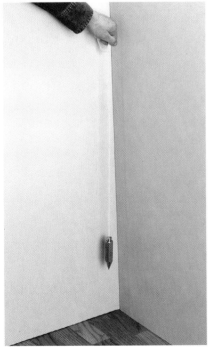

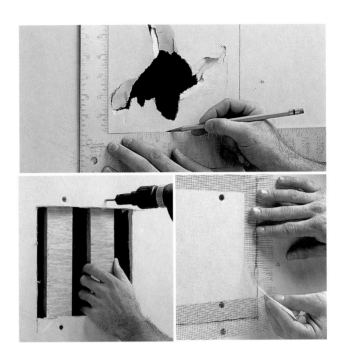

Replâtrage des petits trous : *remplissez les renfoncements qui sont lisses de vernis à la gomme laque, puis poncez et lissez la surface. Couvrez les trous à bords déchiquetés d'un morceau de filet que vous recouvrirez de deux couches de vernis à la gomme laque ou de mélange pour plaques de plâtre. Utilisez une éponge humide et du papier abrasif à l'eau pour polir l'endroit réparé, et poncez-le lorsqu'il est sec, si nécessaire.*

Replâtrage des gros trous : *tracez les lignes de découpage autour du trou et découpez la partie du mur qui est abîmée, au moyen d'une scie à plaques de plâtre. Placez des lamelles en contreplaqué dans l'ouverture, à l'arrière du mur, et vissez-les au mur. Vissez la plaque de remplacement aux lamelles qui serviront de supports. Couvrez les joints de ruban à plaques de plâtre et terminez l'opération en appliquant du mélange pour plaques de plâtre.*

Vérification et correction des murs qui ne sont pas d'équerre

1. *À l'aide d'un fil à plomb, déterminez si les murs sont d'aplomb dans les coins. Corrigez les murs qui s'écartent de plus de ½ po du fil à plomb avant de les carreler.*

2. *Si le mur n'est pas d'équerre, utilisez un long niveau pour tracer sur le mur adjacent une ligne verticale de haut en bas. Enlevez le revêtement mural du mur qui n'est pas d'équerre.*

3. *Découpez et installez des surépaisseurs sur tous les poteaux muraux, pour créer une nouvelle surface, sur laquelle vous fixerez le subjectile. Tracez des flèches indiquant les points hauts des surépaisseurs : c'est là que vous planterez les vis des plaques de plâtre.*

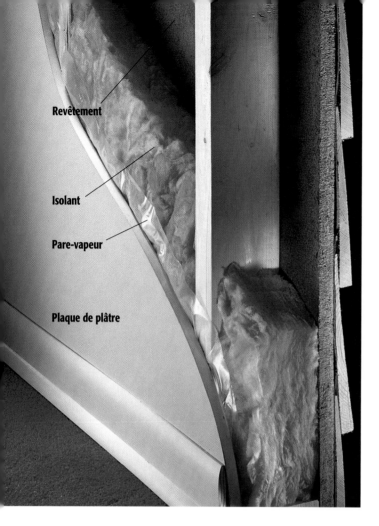

Revêtement

Isolant

Pare-vapeur

Plaque de plâtre

ENLÈVEMENT DES REVÊTEMENTS MURAUX

Dans la plupart des travaux de carrelage, il faut commencer par enlever et remplacer la surface des murs intérieurs, le plus souvent constituée de plaques de plâtre, mais qui peut être en plâtre ou en carreaux de céramique. Cette tâche est salissante, mais elle n'est pas compliquée. Avant de commencer, coupez l'alimentation électrique et inspectez le câblage et la plomberie qui se trouvent dans le mur.

Veillez à porter l'équipement de protection approprié – lunettes de sécurité et masque antipoussières –, car ce travail produit beaucoup de poussière et de petits débris. Utilisez des feuilles de plastique pour fermer les entrées de porte et les grilles de ventilation afin d'empêcher la poussière de se disperser dans toute la maison. Protégez les surfaces des planchers et la baignoire à l'aide de papier à la colophane, bien collé. La poussière et les débris s'introduiraient sous des toiles de peintre et griffteraient rapidement le plancher et la baignoire.

TOUT CE DONT VOUS AVEZ BESOIN

• **Outils :** couteau universel, levier, scie circulaire équipée d'une lame de démolition, règle rectifiée, maillet, ciseau de maçon, scie alternative à lame bimétallique, toile épaisse, marteau, équipement de protection oculaire, masque antipoussières.

Enlèvement des surfaces des murs

1. *Enlevez les plinthes et autres garnitures, et préparez la zone de travail. À l'aide d'une scie circulaire, pratiquez une entaille de ½ po de profondeur, du plancher au plafond, le long des lignes de coupe. Au moyen d'un couteau universel, finissez les entailles en bas et en haut, et coupez à travers le joint horizontal incliné, à l'endroit où les murs rencontrent le plafond.*

2. *Introduisez l'extrémité d'un levier dans l'entaille, près d'un coin de l'ouverture. Appuyez sur le levier jusqu'à ce que la plaque de plâtre cède et arrachez les morceaux de plaque. Veillez à ne pas endommager la plaque de plâtre en dehors des limites de l'ouverture.*

Enlèvement du plâtre

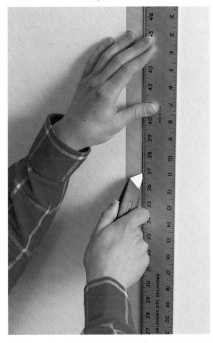

1. *Enlevez les plinthes et autres garnitures, et préparez la zone de travail. À l'aide d'un couteau universel, faites une entaille le long de chaque ligne de coupe, en repassant plusieurs fois au même endroit et en utilisant une règle rectifiée comme guide. Les entailles doivent avoir une profondeur d'au moins ⅛ po.*

2. *Cassez le plâtre le long des bords, en appuyant le petit côté d'un morceau bois de 2 po × 4 po juste à l'intérieur de l'entaille et en frappant dessus avec un marteau. Enlevez le plâtre qui reste au moyen d'un levier.*

3. *À l'aide d'une scie alternative ou d'une scie sauteuse, coupez à travers le lattis le long des bords du plâtre restant. Détachez le lattis des poteaux en utilisant un levier.*

Enlèvement des carreaux de céramique muraux

1. *Assurez-vous que le plancher est recouvert d'une toile épaisse et que les alimentations de courant et d'eau sont coupées. Utilisez un maillet et un ciseau de maçon pour amorcer l'enlèvement des carreaux en créant une petite ouverture dans le bas du mur.*

2. *Commencez à découper de petites sections du mur en introduisant dans l'ouverture une scie alternative munie d'une lame bimétallique, et en suivant les joints de coulis. Soyez prudent lorsque vous vous approchez de la tuyauterie ou du câblage.*

3. *Poursuivez le découpage de toute la surface du mur, en procédant par petites sections, et en enlevant chaque section découpée. Ne sciez pas dans les poteaux muraux.*

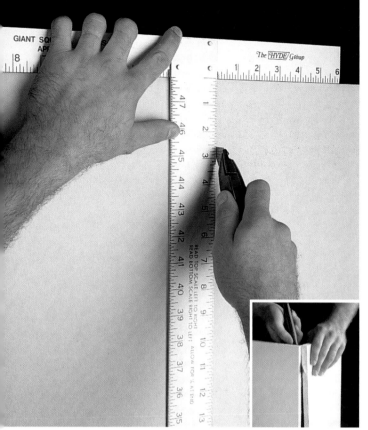

INSTALLATION ET FINITION DES PLAQUES DE PLÂTRE

Les plaques de plâtre sont des subjectiles appropriés pour des carreaux de céramique installés dans les endroits secs. Le panneau vert, espèce de plaque de plâtre résistant à l'humidité, convient mieux dans les cuisines et les endroits secs d'une salle de bains. Pour le carrelage des parties entourant la baignoire et la douche, dans la salle de bains, et pour les dosserets des comptoirs, dans la cuisine, il faut utiliser des panneaux de ciment comme subjectiles.

Les plaques de plâtre sont normalement vendues en feuilles de 4 pi × 8 pi et de 4 pi × 10 pi dont l'épaisseur peut avoir ³/₈ po, ¹/₂ po, ou ⁵/₈ po. On utilise normalement des plaques de ¹/₂ po d'épaisseur sur les murs neufs.

Installez les plaques de plâtre de manière que leurs joints arrivent dans l'axe, et non sur le côté, des organes de l'ossature. Utilisez de la pâte à plaques de plâtre prête à l'emploi et du ruban à plaques de plâtre pour tirer les joints.

À l'aide d'un couteau universel, *coupez à travers le papier de la plaque de plâtre, en vous servant d'une équerre à plaques de plâtre comme guide. Pliez des deux mains la partie entamée pour casser l'âme en plâtre de la plaque, et à l'aide d'un couteau universel, coupez l'épaisseur de papier pour séparer les deux parties (mortaise).*

TOUT CE DONT VOUS AVEZ BESOIN

- **OUTILS :** mètre à ruban, couteau universel, équerre à plaques de plâtre, couteaux à plaques de plâtre de 6 po et de 12 po, éponge à poncer à grain numéro 150, visseuse.

- **MATÉRIEL :** plaques de plâtre, ruban à joints, vis à plaques de plâtre de 1 ¹/₄ po, pâte à plaques de plâtre, baguette d'angle intérieur.

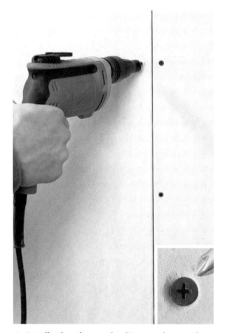

1. Installez les plaques de plâtre en aboutant leurs bords biseautés. Fixez-les avec des vis à plaques de plâtre de 1 ¹/₄ po, espacées de 8 po le long des bords et de 12 po ailleurs. Les têtes des vis doivent se trouver juste sous la surface de la plaque de plâtre (mortaise).

2. Tirez les joints en y appliquant une couche uniforme de pâte à joints, d'environ ¹/₈ po d'épaisseur, à l'aide d'un couteau à plaques de plâtre de 6 po.

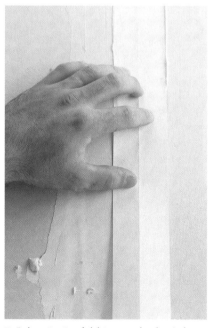

3. En le centrant sur le joint, pressez le ruban à plaques de plâtre de manière qu'il s'enfonce légèrement dans la pâte tout en étant lisse et droit.

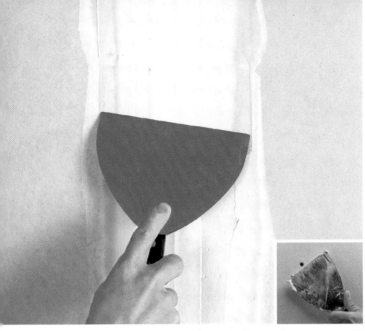

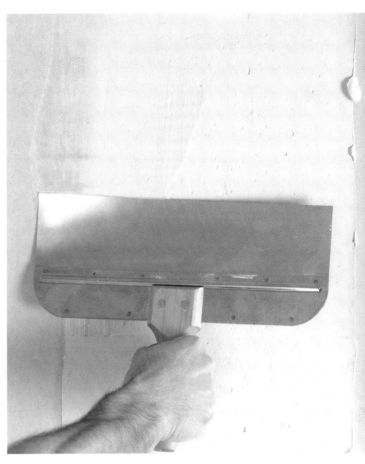

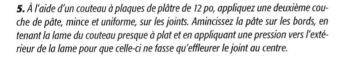

4. Lissez le ruban avec le couteau à plaques de plâtre. Appliquez une force suffisante pour faire sortir la pâte se trouvant sous le ruban, de manière que celui-ci soit plat tout en recouvrant une mince couche de pâte. Noyez toutes les têtes des vis avec la première des trois couches de pâte (mortaise). Laissez sécher la pâte jusqu'au lendemain.

5. À l'aide d'un couteau à plaques de plâtre de 12 po, appliquez une deuxième couche de pâte, mince et uniforme, sur les joints. Amincissez la pâte sur les bords, en tenant la lame du couteau presque à plat et en appliquant une pression vers l'extérieur de la lame pour que celle-ci ne fasse qu'effleurer le joint au centre.

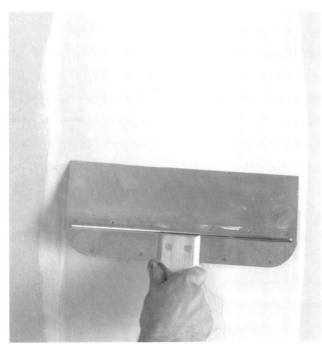

6. Après avoir aminci les deux bords des joints, tirez le couteau de haut en bas, au centre du joint, pour former un joint lisse et uniforme, dont les bords s'amincissent vers la surface de la plaque de plâtre. Recouvrez complètement le ruban à joints. Laissez sécher la deuxième couche de pâte, puis appliquez une troisième couche en utilisant le couteau de 12 po. Laissez sécher complètement la troisième couche avant de poncer légèrement la pâte avec une ponceuse à plaques de plâtre ou une éponge à poncer à grain numéro 150.

Conseil : pour tirer les joints des coins intérieurs, utilisez des baguettes métalliques à ruban de papier, spécialement conçues pour les coins intérieurs ; elles permettent de tirer des joints durables et droits dans les coins intérieurs, sans difficulté. Recouvrez la baguette d'une mince couche de pâte, puis lissez le papier à l'aide d'un couteau à plaques de plâtre. Appliquez deux couches de finition dans le coin, puis poncez la pâte pour la lisser.

Panneau de ciment

Panneau de fibragglo-ciment

**Écran dense
Dens-Shield**

Les panneaux d'appui pour carreaux les plus répandus sont : le panneau de ciment, le panneau de fibragglo-ciment et l'écran dense Dens-Shield. Le panneau de ciment est fait de ciment Portland et de sable, et il est renforcé par une couche extérieure de fibre de verre maillée. Le panneau de fibragglo-ciment est fabriqué de la même manière, mais il est renforcé de fibre de verre de part en part. Le panneau Dens-Shield est un panneau en gypse résistant à l'eau, revêtu d'une couche acrylique imperméable.

INSTALLATION DES PANNEAUX DE CIMENT

Si vous devez carreler des murs dans un endroit humide, utilisez des panneaux d'appui pour carreaux (ou pour tuiles) comme subjectile. Contrairement à la plaque de plâtre, le panneau d'appui pour carreaux ne se désagrégera pas si de l'eau pénètre derrière les carreaux, empêchant ainsi tout dommage. Les trois principaux types de panneaux d'appui pour carreaux sont : le panneau de ciment, le panneau de fibragglo-ciment et l'écran dense (appelé « Dens-Shield »).

L'eau n'endommage ni le panneau de ciment ni le panneau de fibragglo-ciment, mais elle les traverse. Pour protéger la charpente, installez derrière le panneau d'appui une membrane étanche formée d'une feuille de plastique de 4 mil (millièmes de po) ou de papier de construction n° 15.

L'écran dense est revêtu d'une couche acrylique imperméable qui sert de membrane étanche. On l'installe de la même manière que les panneaux muraux, mais en utilisant des vis galvanisées, pour empêcher la formation de rouille, et en appliquant un produit imperméabilisant aux endroits traversés par des tuyaux ou autres accessoires.

TOUT CE DONT VOUS AVEZ BESOIN

- **Outils :** couteau universel, équerre en T, perceuse munie d'un petit foret à maçonnerie, marteau, scie sauteuse munie d'une lame bimétallique, couteau à plaques de plâtre, agrafeuse, perceuse.

- **Matériel :** feuille de plastique de 4 millièmes de po, panneau de ciment, vis à panneaux de ciment de 1 1/4 po, ruban à joints pour panneaux de ciment, mortier de ciment Portland au latex.

1. *Agrafez une feuille de plastique de 4 mil ou du papier de construction n° 15 sur l'ossature. Recouvrez les joints sur plusieurs pouces et laissez dépasser les feuilles le long du contour de l'ossature.* **Note :** *les poteaux de l'ossature doivent être espacés de 16 po ; s'ils sont en acier, celui-ci doit être d'épaisseur n° 20.*

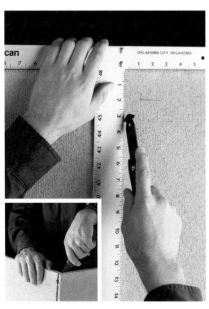

2. *Coupez le panneau de ciment en entaillant la surface maillée à l'aide d'un couteau universel ou au carbure. Cassez le panneau vers l'arrière, puis coupez la couche maillée couvrant l'envers (mortaise).* **Note :** *pour le carrelage, le devant du panneau est sa face rugueuse.*

3. *Utilisez une perceuse munie d'un petit foret à maçonnerie pour forer une série de petits trous dans le panneau aux endroits des découpes à prévoir pour les tuyaux ou autres accessoires. À ces endroits, défoncez les pastilles du panneau avec un marteau ou un morceau de tuyau inutilisé et achevez de découper les bords des trous avec une scie sauteuse munie d'une lame bimétallique.*

4. *Installez les panneaux horizontalement. Utilisez autant que possible des panneaux entiers, pour éviter d'avoir à les joindre en les coupant et en les aboutant, ce qui complique leur fixation. Décalez d'une rangée à l'autre les éventuels joints verticaux. Laissez un espace vide de ⅛ po entre les panneaux, à l'endroit des joints verticaux et dans les coins. Utilisez des séparateurs pour placer les panneaux de la rangée inférieure à ¼ po de la baignoire ou de la base de la douche. Fixez les panneaux avec des vis de 1¼ po pour panneaux de ciment, espacées de 8 po sur les murs, et de 6 po au plafond. Enfoncez les vis à au moins ½ po des bords pour ne pas effriter les panneaux. Si les poteaux muraux sont en acier, ne les fixez pas à moins de 1 po du profilé supérieur.*

5. *Recouvrez les joints et les coins de ruban à joints pour panneaux de ciment (fibre de verre maillée résistant aux alcalins) marouflé de mortier de ciment Portland au latex (à prise rapide). Appliquez par marouflage une couche de mortier avec un couteau à plaques de plâtre, puis nivelez et lissez le mortier.*

Variante : finition des panneaux de ciment

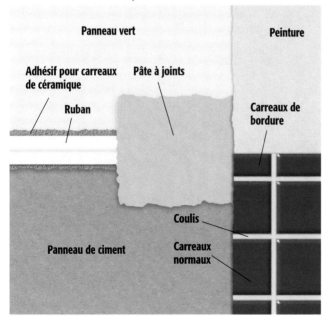

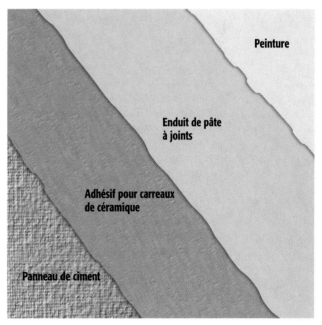

Pour tirer un joint *entre un panneau de ciment et un panneau vert, scellez le joint et le panneau de ciment exposé avec de l'adhésif pour carreaux de céramique, un mélange de quatre parties d'adhésif pour une partie d'eau. Noyez le ruban à joints en papier dans l'adhésif, par marouflage, et lissez-le avec un couteau à plaques de plâtre. Laissez sécher l'adhésif et achever de tirer le joint en appliquant au moins deux couches de pâte à joints ordinaire pour plaques de plâtre.*

Pour finir les petites surfaces *des panneaux de ciment qui ne seront pas couvertes de carreaux de céramique, scellez le panneau de ciment avec un adhésif pour carreaux de céramique, c'est-à-dire un mélange de quatre parties d'adhésif pour une partie d'eau, puis appliquez un enduit de pâte à joints, à l'aide d'un couteau à plaques de plâtre de 12 po, avant de peindre le mur.*

La feuille de plastique, la membrane en feuilles, le papier de construction et la membrane appliquée à la truelle sont les principaux moyens dont on dispose pour rendre un mur imperméable. *Les membranes isolantes en bandes ou en feuilles protègent également les surfaces contre la fissuration provoquée par les petits mouvements de la sous-couche.*

INSTALLATION DES MEMBRANES MURALES

Les membranes murales peuvent assurer l'étanchéité des murs, les isoler des petits mouvements de la sous-couche, ou remplir ces deux fonctions. L'étanchéité des murs n'est pas aussi critique que celle des planchers, car l'eau ne stagne pas sur les surfaces murales. Dans la plupart des cas, il suffit de protéger les surfaces murales au moyen d'une feuille de plastique ou de papier de construction installée derrière le panneau d'appui. Mais dans le cas des saunas et des bains turcs, il faut toutefois prévoir une meilleure étanchéité.

Les membranes isolantes se vendent en rouleaux, en pots de produit à appliquer à la truelle, ou en feuilles. On peut les utiliser sur des fissures existantes ou à des endroits susceptibles de subir des mouvements. Vérifiez les instructions du fabricant relatives à

la largeur maximale des fissures ou du joint de dilatation que la membrane peut recouvrir et au type de subjectile sur lequel il faut l'installer. Il est important d'appliquer une membrane isolante sur les murs de béton, afin de prévenir la propagation des fissures capillaires vers les carreaux ou le coulis. Certains produits combinent les propriétés d'étanchéité et d'isolation. L'adhésif pour carreaux s'applique directement sur la membrane isolante, lorsque celle-ci est sèche.

Vérifiez si les membranes en rouleau ou en pâte sont compatibles avec les besoins de votre projet. Les fontaines et les piscines ont des exigences particulières en matière de membrane, et nous vous conseillons de consulter le distributeur de carreaux à ce sujet, si vous comptez en revêtir les parois d'une piscine.

Vous pouvez installer une feuille de plastique étanche de 4 mil en l'agrafant aux poteaux avant d'installer des panneaux de ciment ou de fibragglo-ciment.

Vous pouvez également utiliser du papier de construction n° 15 comme membrane d'étanchéité derrière un panneau de ciment ou de fibragglo-ciment. Commencez l'installation par le bas et installez chaque feuille horizontalement, en la faisant chevaucher de deux pouces la feuille précédente.

Les membranes d'étanchéité/isolantes offrent un moyen pratique de combiner étanchéité et protection contre les fissures existant dans les murs. Cette méthode convient particulièrement aux surfaces de béton massif, lisses. On applique ensuite directement l'adhésif pour carreaux sur la membrane, lorsqu'elle est sèche.

La membrane isolante peut être utilisée sur des murs ou au plafond, dans les endroits comme les bains turcs ou les saunas qui subissent de fortes variations de température et d'humidité. On installe normalement la membrane avec un mortier, mais certaines d'entre elles requièrent un agent liant spécial.

PRÉPARATION DES PROJETS DE CARRELAGE

Préparation du carrelage des planchers

La préparation d'un projet de carrelage suit la pose d'un subjectile stable, solide et lisse (voir p. 52 à 63). Résistez à la tentation de poser directement les carreaux sur la surface à couvrir. La planification est essentielle et elle est fructueuse en fin de compte. Rien n'est plus frustrant que de buter sur des problèmes qu'on aurait pu éviter en s'attardant un peu plus aux détails, dès le départ. Un plancher carrelé n'est en fait qu'une grille géante, et ses imperfections sauteront aux yeux, surtout si le coulis contraste avec les carreaux.

La réussite de la pose commence par le relevé exact des mesures et les plans détaillés à l'échelle. Utilisez ces plans pour tester

différents agencements jusqu'à ce que vous soyez satisfait du résultat. Efforcez-vous de respecter les règles suivantes :

- Centrer les carreaux par rapport à la pièce et uniformiser la largeur des carreaux se trouvant aux extrémités opposées d'une rangée.
- Réduire au minimum le nombre de coupes nécessaires.
- Camoufler les anomalies, dans les pièces qui ne sont pas d'équerre.

La pose des bordures, des motifs en diagonale et des motifs en panneresse pose d'autres problèmes particuliers que nous aborderons également dans les pages suivantes.

PLANS

Il n'est pas nécessaire de passer par le plan s'il s'agit du carrelage d'une petite pièce, parfaitement d'équerre, et sans problème particulier. Par contre, le plan est très utile si la pièce a plus de quatre coins, si certains des murs adjacents s'écartent de plus de 1 po de la verticale, ou si le carrelage doit recouvrir plusieurs pièces contiguës.

Commencez par relever les mesures de la pièce. Adoptez une échelle pratique – un carré par carreau pour le papier quadrillé à grande échelle, quatre carrés par carreau pour le papier quadrillé à petite échelle – et tracez une vue en plan de la pièce. Faites plusieurs copies du plan pour que vous puissiez faire l'essai de différents agencements sans avoir à le recommencer chaque fois.

Posez ensuite 10 carreaux minimum, espacés par des séparateurs, et relevez la longueur de l'ensemble. Ajoutez l'épaisseur d'un joint de coulis et divisez le tout par dix pour obtenir la dimension exacte qu'occupe un carreau entouré de coulis. Portez cette dimension à l'échelle adoptée pour le plan de la pièce et dessinez différents agencements jusqu'à ce que vous trouviez celui qui vous convient. Il est parfois impossible d'éviter les carreaux étroits sur les bords. Dans ce cas, placez ces carreaux le long du mur le moins visible de la pièce ou aux endroits qui seront dissimulés par des meubles ou des accessoires.

Vérifiez vos calculs en posant les carreaux à sec. Tout le monde peut faire une erreur, malgré le soin apporté aux plans et au mesurage, et il vaut mieux découvrir une erreur de calcul avant de poser les carreaux ou d'étendre le mortier qu'après. Posez une rangée complète de carreaux dans deux directions au moins et corrigez l'agencement, le cas échéant.

Si l'agencement est compliqué ou exige de nombreuses coupes, prenez le temps de poser le carrelage entier, à sec.

Mesurage d'une pièce

Pour mesurer une pièce avec précision, *prenez la mesure en partant d'un coin et en longeant le mur jusqu'au coin opposé. Procédez de la même manière pour chaque mur et inscrivez les mesures relevées. Lorsque vous mesurez l'emplacement des obstacles et accessoires permanents, choisissez un point à partir duquel vous prendrez toutes les mesures et qui vous servira de point de référence lorsque vous dresserez le plan de la pièce.*

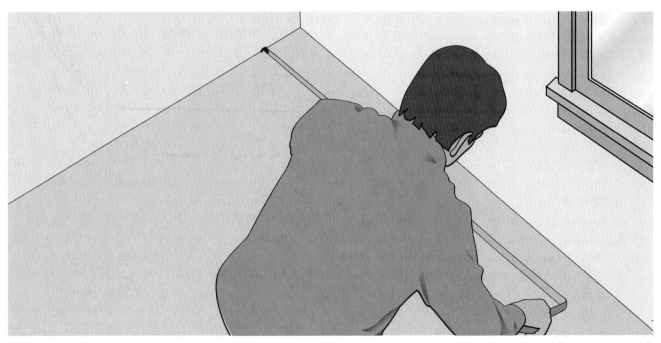

Vérifiez la perpendicularité *des murs en mesurant chaque coin. Le long d'un mur, faites une marque à 3 pieds du coin ; le long du mur adjacent, faites une marque à 4 pieds du coin. Si la distance entre ces deux points est précisément de 5 pieds, la pièce est rectangulaire. Dans les grandes pièces, utilisez des multiples de 3, 4 et 5, comme 6, 8 et 10, ou 9, 12 et 15 pour plus de précision.*

Agencement des carreaux

Tracez une vue en plan de la pièce à l'échelle, en incluant les accessoires permanents tels que les armoires et les escaliers. Sur du papier calque, dessinez, à la même échelle, les différents agencements de carreaux et posez chaque calque sur le plan pour trouver l'agencement qui convient le mieux.

Fabriquez un bâton témoin qui vous aidera à déterminer le nombre de carreaux dont vous avez besoin. Posez une rangée de carreaux ainsi que les séparateurs et placez, le long de celle-ci, une latte de 1 po × 2 po, de 8 pi de long. (Placez l'extrémité du bâton dans l'axe d'une ligne de coulis.) Maintenez le bâton immobile et marquez sur celui-ci les bords de chaque joint de coulis.

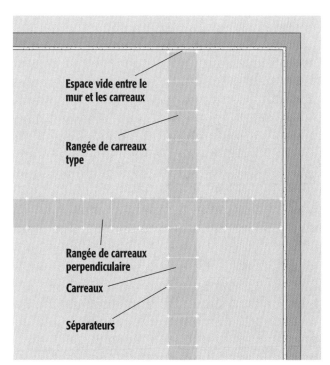

Espace vide entre le mur et les carreaux

Rangée de carreaux type

Rangée de carreaux perpendiculaire

Carreaux

Séparateurs

Vérifiez l'agencement en posant deux rangées perpendiculaires de carreaux, jusqu'aux murs.

Posez les carreaux à sec si vous avez affaire à un agencement compliqué, à des carreaux qui contournent un obstacle, ou aux carreaux d'un motif en diagonale. Vous devrez peut-être déplacer légèrement le tout pour éviter d'avoir à couper des carreaux très étroits pour les bordures ou les coins.

JOINTS DE DILATATION

Qu'entend-on par joint de dilatation et dans quels cas faut-il les prévoir ? Le joint de dilatation permet aux matériaux de changer de volume sans se fissurer. Il est important d'en prévoir, car les matériaux de construction, y compris les carreaux et la pierre, se dilatent et se contractent sous l'effet des changements de température. Une maison nouvellement construite se tasse également avec le temps. Les éléments de plomberie se dilatent et se contractent fortement et ils bougent parfois quand l'eau les traverse. La plupart de ces mouvements passent inaperçus, mais les petits changements s'additionnent pour entraîner des déplacements importants si l'espace est suffisant. De plus, le taux de déplacement des murs diffère de celui des planchers qu'ils surmontent. Lorsque la surface à carreler est importante, évitez les problèmes en prévoyant des joints de dilatation entre les murs et les planchers, et autour des tuyaux d'eau.

Pour les très grands planchers, il vaut mieux installer les joints de dilatation préconisés par les entrepreneurs ; dans les autres cas, le simple joint de pâte à calfeutrer convient à la plupart des travaux de bricolage. Il suffit de remplir les joints de pâte à calfeutrer qu'on laisse sécher avant d'entourer les carreaux de coulis. Si le plancher s'étend sur plus de 30 pieds dans une direction, il faut remplir la ligne de coulis de pâte à calfeutrer à la silicone ; entre les pièces adjacentes, remplissez de pâte à calfeutrer le joint de coulis se trouvant au milieu de l'entrée de porte. Si vous carrelez un mur et le plancher adjacent, remplissez de pâte à calfeutrer le joint qui les sépare. Finalement, autour des tuyaux de plomberie découpez toujours des trous assez grands pour laisser un espace de $1/8$ po au moins entre le carrelage et les tuyaux, et remplissez cet espace de pâte à calfeutrer à la silicone.

LIGNES DE RÉFÉRENCE DES PROJETS DE CARRELAGE

Les lignes de référence ont pour but de guider l'installateur lorsqu'il pose les premiers carreaux. Avant de tracer ces lignes, réfléchissez à l'endroit où vous allez commencer à poser les carreaux. Vous devez vous arranger pour poursuivre le travail sans avoir à passer sur les carreaux fraîchement posés. Il semble logique de commencer au milieu de la pièce ; néanmoins, il vaut parfois mieux commencer la pose à quelques pieds d'un mur et de là, progresser à travers la pièce. Si la pièce n'a qu'une seule porte, commencez à l'extrémité la plus éloignée ce celle-ci et progressez en vous en rapprochant. Réfléchissez à la question avant d'entreprendre le travail, pour ne pas vous retrouver bloqué dans un coin !

Il existe un autre moyen de poser les carreaux en ligne : c'est d'utiliser une longue planche droite comme guide. Un morceau de contreplaqué fera l'affaire à condition d'utiliser le bord fabriqué en usine. Placez la planche, immobilisez-la provisoirement à l'aide de plusieurs vis et posez la première rangée de carreaux contre la planche, que vous n'enlèverez que lorsque le mortier commencera à sécher. Continuez à poser les rangées suivantes, en maintenant constant l'écart qui les sépare ; ainsi elles seront toutes droites.

Traçage des lignes de référence en vue de la pose des carreaux en ligne droite

1. Mesurez deux côtés opposés de la pièce et marquez leur milieu. Joignez ces points d'un trait (X) au moyen d'un cordeau traceur : c'est une première ligne de référence.

2. Mesurez la ligne de référence et marquez-en le milieu. De ce point, à l'aide d'une équerre de charpentier, tracez le début d'une deuxième ligne de référence (Y) et achevez-la au moyen du cordeau traceur.

Traçage des lignes de référence en vue de la pose des carreaux en diagonale

1. Tracez les lignes de référence qui se rencontrent exactement au centre de la pièce. Assurez-vous qu'elles sont perpendiculaires, puis marquez sur chacune d'elles un point situé à la même distance du centre.

2. À l'aide d'un cordeau traceur, cinglez les lignes qui joignent ces points. Elles formeront un angle de 45° avec les lignes de référence. Utilisez une équerre pour tracer les lignes d'installation en fonction de l'agencement que vous avez choisi.

Traçage des lignes de référence en vue de la pose des carreaux en panneresse

1. À l'aide d'un cordeau traceur, cinglez des lignes de référence perpendiculaires en suivant la méthode décrite à la p. 83. Posez à sec quelques carreaux, côte à côte, en utilisant des séparateurs. Décalez la rangée suivante d'une demi-longueur de carreau, plus une demi-épaisseur de ligne de coulis. Mesurez la largeur totale de la section ainsi posée à sec.

2. Utilisez cette largeur pour tracer, à égale distance, une série de lignes parallèles qui vous aideront à poser les autres carreaux. (La pose en panneresse convient particulièrement aux carreaux rectangulaires.)

PRÉPARATION DES BORDURES ET DES SURFACES QUE L'ON VEUT METTRE EN VALEUR

Les bordures peuvent diviser un plancher en sections ou mettre en valeur une partie de celui-ci, comme on le voit sur l'illustration ci-contre. Vous pouvez également créer un motif à l'intérieur de la bordure en faisant simplement pivoter les carreaux de 45°, en y installant des carreaux décoratifs, ou en créant une mosaïque comme celle qui est décrite aux p. 130 à 135. Les motifs à bordures devraient couvrir une surface qui ait entre le quart et la moitié de la surface totale du plancher. Si le motif est trop petit, il aura l'air perdu au milieu du plancher. S'il est trop grand, il paraîtra démesuré.

Vous devez déterminer la dimension et l'emplacement de la bordure sur une feuille de papier et reporter sur le plancher les mesures que vous avez prises. Vous devez en outre poser à sec les carreaux de la bordure et du plancher, pour vous assurer que l'agencement que vous avez conçu est harmonieux.

L'installation des carreaux se fait en trois étapes. Commencez par poser la bordure, puis posez les carreaux à l'extérieur de celle-ci et finalement, posez les carreaux à l'intérieur de la bordure.

Photo : courtoisie de Crossville Porcelain Stone

1. Mesurez la longueur et la largeur de la pièce dans laquelle vous comptez installer la bordure.

2. Reportez les mesures sur une feuille de papier en faisant un plan, à l'échelle, de la surface de la pièce. Dessinez l'emplacement des armoires, des portes et des meubles qui se trouvent dans la pièce.

Suite à la page suivante

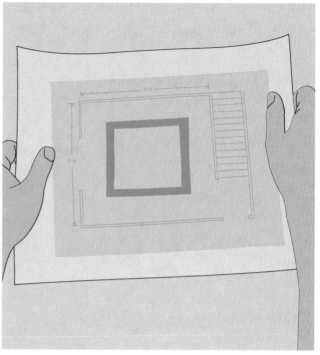

3. *Choisissez les dimensions de la bordure. Les motifs à bordures doivent couvrir une surface qui a entre le quart et la moitié de la surface totale de la pièce. Dessinez le motif à bordures sur du papier calque, à la même échelle que celle du schéma de la pièce.*

4. *Placez le papier calque sur le dessin de la pièce. Déplacez-le afin de trouver le meilleur emplacement. Fixez le calque sur le dessin à l'aide de ruban adhésif. Tracez des lignes perpendiculaires qui passent par le centre du motif et mesurez les distances du centre aux éléments de la bordure.*

5. *Reportez les mesures du calque sur le plancher, en commençant par les lignes centrales. Cinglez des lignes au cordeau traceur pour indiquer l'emplacement de la bordure.*

6. *Placez les carreaux de la bordure le long des lignes de référence, sans adhésif. Procédez de la même manière avec les autres carreaux du plancher, en les plaçant le long des lignes centrales, à l'intérieur et à l'extérieur de la bordure, et faites les ajustements nécessaires.*

PRÉPARATION DU CARRELAGE DES MURS

Le carrelage des murs est parfois difficile, car les murs sont rarement verticaux, et leurs dimensions sont rarement exactes. Dans certains cas, il faut même rectifier leur alignement avant de procéder au carrelage. Néanmoins, dans la plupart des cas, une fois qu'on a pris conscience des problèmes, il suffit de les résoudre en appliquant les principes énoncés dans les pages suivantes. (Si vous devez rectifier l'alignement des murs avant de les carreler, les idées et les renseignements que vous trouverez aux p. 68 à 77 vous faciliteront la tâche.)

La réussite du carrelage d'un mur dépend essentiellement de l'agencement des carreaux. Commencez par relever très précisé-ment les dimensions afin de pouvoir faire le plan de la pièce à l'échelle. Utilisez le dessin pour figurer les différents agencements possibles. Le but de l'exercice est d'arriver à un agencement symétrique et harmonieux.

- Centrez les carreaux par rapport à la pièce et de manière que les carreaux des extrémités aient les mêmes dimensions.
- Réduisez au minimum le nombre de coupes nécessaires et évitez d'avoir à couper des carreaux très étroits.
- Dissimulez les défauts des murs qui ne sont pas d'équerre.
- Utilisez à bon escient les bordures, les baguettes et autres garnitures.

Vérifiez si les murs et les coins sont d'aplomb. Apportez les corrections nécessaires avant d'entamer les travaux.

Mesurez les murs, et l'emplacement des portes, des fenêtres et des accessoires permanents. Reportez ces mesures sur un plan, à l'échelle, de chaque mur à carreler.

PLAN

Il n'est pas absolument nécessaire de dresser le plan de l'agencement des carreaux s'il s'agit d'un petit projet simple ; par contre, cette étape est presque indispensable s'il faut carreler plusieurs murs, créer des motifs ou des bordures, ou carreler des murs qui ne sont pas droits et qui s'écartent de plus d'un pouce de la verticale.

Commencez par vérifier la verticalité des murs. Placez un niveau de charpentier le long d'une planche droite et placez la planche contre les murs et sur le plancher, au bas des murs. Si un mur s'écarte perpendiculairement de plus de $^1/_4$ po par 8 pi, il faut s'arranger pour dissimuler les imperfections en ajoutant des moulures, en épaississant le mur avec de la pâte à joints, ou en meulant des carreaux. (Voir les p. 63 à 73 pour les détails). Vérifiez si les coins extérieurs sont d'aplomb et notez soigneusement toutes les anomalies.

Ensuite, mesurez les murs et faites-en le plan sur du papier quadrillé, en incluant les fenêtres, les portes et les accessoires permanents tels que les baignoires. (Adoptez une échelle pratique : un carré par carreau, pour le papier quadrillé à grande échelle, quatre carrés par carreau pour le papier quadrillé à petite échelle.) Faites plusieurs copies du plan pour pouvoir faire l'essai de différents agencements sans avoir à recommencer le plan.

Vérifiez les dimensions des carreaux, des bordures et des autres carreaux de garniture, et commencez à étudier leur agencement. Vous devez arriver à réaliser l'équilibre de la pièce, tout en dissimulant le plus possible les carreaux coupés. Par exemple, si la hauteur du mur surmontant la baignoire ne correspond pas à un multiple entier de carreaux, il vaut mieux installer la rangée de carreaux coupés en bas plutôt qu'en haut (où ils seront plus visibles). Si vous prévoyez des motifs décoratifs qui se répètent, répartissez-les uniformément ou harmonieusement sur le mur.

Préparez l'agencement des carreaux, des motifs et des garnitures. Prenez les mesures de l'ensemble.

Dessinez l'agencement à l'échelle sur le plan du mur, afin de déterminer les lignes de référence.

VÉRIFICATION DES AGENCEMENTS

Le tracé des lignes de référence perpendiculaires est une phase essentielle de tout carrelage, y compris du carrelage des murs. Pour ce faire, après en avoir pris les mesures, déterminez le milieu de l'arête supérieure et de l'arête inférieure du mur ainsi que le milieu de chacune de ses arêtes verticales. À l'aide d'un cordeau traceur, tracez ensuite les deux lignes joignant les milieux opposés : celles qui constitueront les lignes de référence verticale et horizontale. Assurez-vous que les deux lignes sont correctement tracées en appliquant la méthode du triangle 3-4-5 (voir p. 81). Apportez, le cas échéant, les modifications nécessaires pour que les lignes soient parfaitement perpendiculaires.

Procédez ensuite à l'essai à sec de l'agencement, en commençant au centre du muret et en progressant vers un de murs adjacents. Si l'espace entre le dernier carreau entier et le mur est trop petit, modifiez l'emplacement du point de départ. Continuez l'essai à sec, en prêtant une attention particulière aux portes, aux fenêtres et aux accessoires permanents qui garnissent le mur. Si une rangée de carreaux se termine par un morceau de carreau trop étroit, déplacez les lignes de référence en conséquence. Idéalement, il ne faudrait jamais amputer les carreaux d'extrémité de plus de la moitié de leur surface.

Si le mur a un coin extérieur, commencez l'essai à sec à cet endroit. Placez des carreaux arrondis de manière qu'ils recouvrent les bords des carreaux du mur adjacent. Si cet agencement donne un espace trop étroit à l'autre extrémité de la rangée, installez un carreau coupé contre le carreau arrondi, pour répartir l'espace en question ou l'éliminer.

Ligne de référence verticale

Marquez le milieu de chaque arête du mur et cinglez un cordeau traceur entre les marques des murs opposés. Vérifiez la perpendicularité des lignes de référence en appliquant la méthode du triangle 3-4-5 (voir p. 81).

Suite à la page suivante

1. *À l'aide de vis, fixez une latte au mur, le long de la ligne de référence horizontale. Faites l'essai à sec des carreaux en les posant sur la latte, le carreau du centre étant aligné sur la ligne de référence verticale.*

2. *Si l'espace vide contre le mur est trop étroit, déplacez la rangée de carreaux d'un demi-carreau en plaçant l'axe du carreau central sur la ligne de référence verticale.*

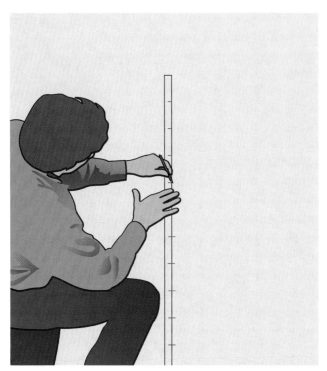

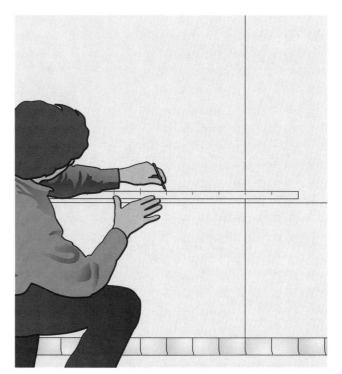

3. *Utilisez un bâton témoin (voir p. 82) pour voir si l'agencement est satisfaisant, verticalement. Le cas échéant, ajustez la hauteur des carreaux de la première rangée.*

4. *Faites l'essai à sec de la première rangée de carreaux, puis tenez un bâton témoin le long de la ligne de référence horizontale, en faisant coïncider un joint de coulis avec la ligne de référence verticale. Marquez les joints de coulis sur le bâton témoin : ces marques correspondront aux joints de coulis de la première rangée et elles peuvent servir de points de repère.*

Carrelage des coins extérieurs

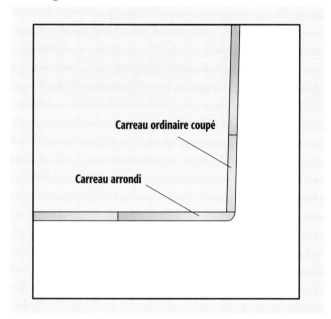

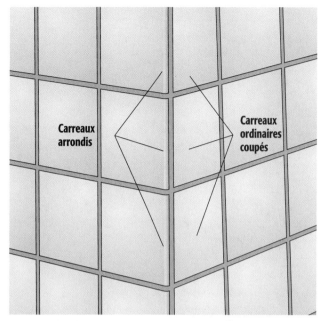

Aux coins extérieurs, faites en sorte que les carreaux arrondis chevauchent les bords des carreaux ordinaires. Essayez d'utiliser des carreaux entiers, sinon coupez des carreaux ordinaires à la bonne mesure. Si le mur n'est pas parfaitement d'aplomb et s'il n'est pas grand, alignez les carreaux arrondis de manière qu'ils chevauchent uniformément les carreaux ordinaires.

Dissimulez les défauts d'un mur qui s'écarte fortement de la verticale en installant les carreaux ordinaires de ce côté du mur, après les avoir coupés en conséquence. Faites en sorte que les carreaux arrondis chevauchent les bords des carreaux coupés, les deux étant installés simultanément.

Agencement des carreaux autour des fenêtres et autres obstacles

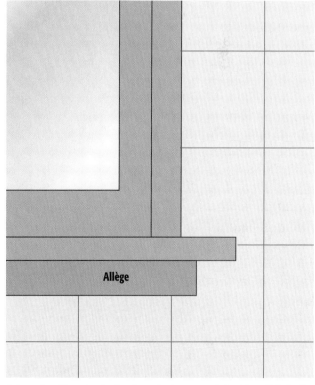

Utilisez un bâton témoin pour déterminer l'agencement adéquat des carreaux autour d'obstacles tels que les fenêtres. Pour éviter de couper plus de la moitié des carreaux, verticalement et horizontalement, déplacez, s'il le faut les lignes de référence.

Enlevez les allèges éventuelles et carrelez le mur vers le haut, jusqu'à la fenêtre, puis replacez-les. Les allèges sont les seules garnitures de fenêtres que l'on peut ainsi enlever et replacer.

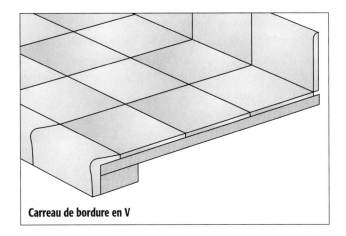

Carreau de bordure en V

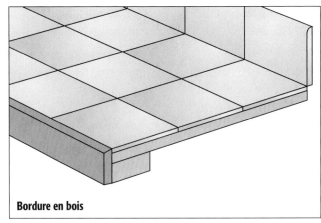

Bordure en bois

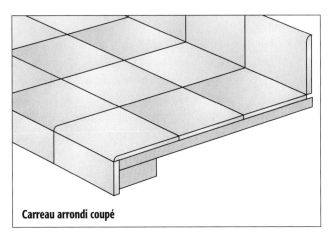

Carreau arrondi coupé

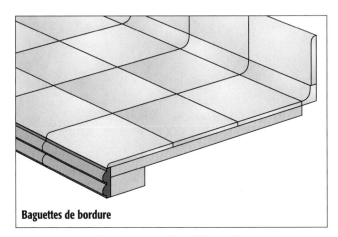

Baguettes de bordure

Avant de choisir un carrelage, réfléchissez à la manière dont vous installerez le dosseret et les bordures et renseignez-vous sur la disponibilité des pièces de bordure assorties aux carreaux que vous comptez poser. Vous voudrez probablement combiner des carreaux ordinaires avec des carreaux de bordure, ou d'autres garnitures ou bordures, de manière à créer un dosseret et des bordures attrayantes.

Préparation du carrelage des comptoirs

Vous pouvez poser un carrelage sur un dessus de comptoir en stratifié s'il est d'équerre, de niveau et en bon état. Poncez-le avec du papier de verre numéro 60 ou 80 en vue de rendre sa surface rugueuse avant de poser les carreaux. Si vous devez enlever le dessus de comptoir pour placer un nouveau subjectile, enlevez toutes les vis, par en dessous. Si le dessus de comptoir est collé avec de l'adhésif de construction, coupez celui-ci au couteau. Assurez-vous que les armoires sont de niveau, d'avant en arrière et de gauche à droite, par rapport aux armoires adjacentes. Le cas échéant, dévissez l'armoire attachée au mur et posez des intercalaires sur le plancher ou contre le mur pour corriger sa position.

Installez une latte le long du bord avant du dessus de comptoir pour que la première rangée de carreaux soit parfaitement droite. Dans le cas de carreaux de bordure en V, vissez une latte de 1 po × 2 po le long de la ligne de référence. Vous placerez la première rangée de carreaux contre cette latte. Dans le cas des carreaux arrondis, fixez une latte de l'épaisseur du carreau de bordure, plus 1/8 po qui représente la couche de mortier, contre la face du comptoir, son bord supérieur affleurant le dessus du comptoir. Vous alignerez les carreaux arrondis sur le bord extérieur (avant) de la latte. Dans le cas d'une bordure en bois, fixez une latte de 1 po × 2 po contre le bord avant du dessus de comptoir, en la laissant dépasser de la surface du comptoir, vers le haut. Vous installerez les carreaux contre cette latte.

Avant d'installer les carreaux, posez-les à sec, avec des séparateurs. Si le comptoir est en L, commencez dans le coin et progressez vers l'extérieur. Sinon, commencez l'agencement à l'endroit d'un évier, pour pouvoir effectuer des coupes identiques de part et d'autre de celui-ci. Le cas échéant, déplacez le point de départ pour ne pas devoir couper de trop grands morceaux de carreaux.

Traçage des lignes de départ pour le carrelage des dessus de comptoirs

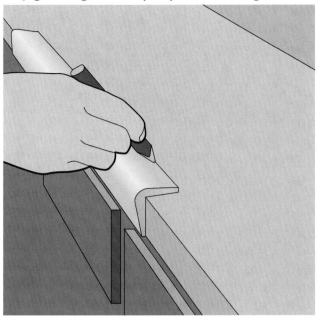

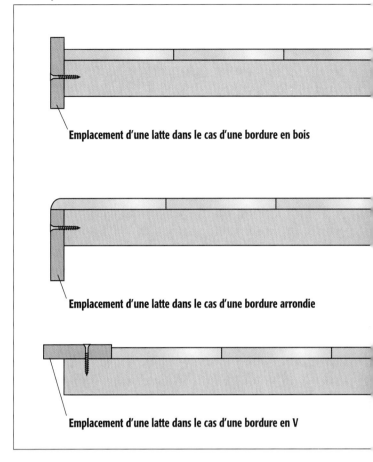

Emplacement d'une latte dans le cas d'une bordure en bois

Emplacement d'une latte dans le cas d'une bordure arrondie

Emplacement d'une latte dans le cas d'une bordure en V

1. *Si vous utilisez des carreaux de bordure en V, placez-en un contre le bord avant du subjectile, à une extrémité du comptoir. Faites une marque le long du bord arrière du carreau. Répétez l'opération à l'autre extrémité du comptoir et cinglez la corde d'un cordeau traceur entre les deux marques. Répétez l'opération sur les côtés du comptoir.*

2. *Vissez des lattes le long du bord du dessus de comptoir pour pouvoir facilement aligner les carreaux, lors de la pose.*

Pose des carreaux sur le dessus de comptoir

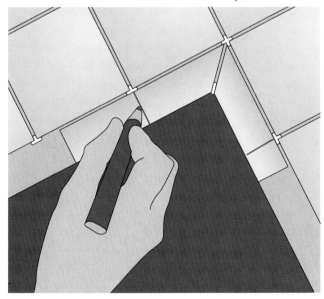

1. *Posez les carreaux et les séparateurs à sec. Ajustez les lignes de départ si nécessaire. Mélangez le mortier à prise rapide à base d'époxy et étendez-le avec une truelle à encoches carrées de 1/4 po. Si vous utilisez des lattes, posez les carreaux ordinaires au ras de celles-ci, puis posez les carreaux de bordure. Dans les autres cas, installez d'abord la bordure. Si le dessus de comptoir a un coin intérieur, commencez par installer un carreau de coin intérieur prêt à installer à cet endroit, ou biseautez à 45° un carreau de bordure pour tailler votre propre carreau de coin intérieur.*

2. *Posez la première rangée de carreaux ordinaires contre les carreaux de bordure, en utilisant des séparateurs. Enfoncez soigneusement les carreaux en place sans les faire pivoter. Posez les autres rangées de carreaux de la même façon.*

COMMENT DÉMARRER

ACHAT DU MATÉRIEL

Avant de choisir et d'acheter le matériel, vous devez établir exactement vos besoins. Commencez par dresser le plan de l'agencement de la pièce : il constituera une référence indispensable, pour vous et pour ceux qui vous conseilleront.

Pour estimer la quantité de carreaux dont vous avez besoin pour carreler un plancher, calculez la surface de la pièce, en pieds carrés, et ajoutez cinq pour cent à ce chiffre en prévision des déchets. Par exemple, si la pièce mesure 10 pieds × 12 pieds, sa surface totale est de 120 pieds carrés (12 pi × 10 pi = 120 pi ca). Ajoutez cinq pour cent, c'est-à-dire 6 pieds carrés, en prévision de la casse et des autres pertes (120 × 0,05 = 6 pi ca). Vous devrez donc acheter suffisamment de carreaux pour couvrir 126 pieds carrés.

Sur les boîtes de carreaux, on indique généralement le nombre de carreaux qu'elles contiennent et la surface qu'ils couvrent. Divisez la surface à couvrir par la surface que couvrent les carreaux contenus dans une boîte pour déterminer le nombre de boîtes que votre projet nécessite. Par exemple, si la surface couverte par les carreaux d'une boîte est de 10 pieds carrés, vous aurez besoin de 13 boîtes pour couvrir le plancher de 10 pi × 12 pi de notre exemple.

L'estimation du nombre de carreaux nécessaires pour carreler un mur est un peu plus compliquée. Commencez par déterminer la partie de la surface de chaque mur qui sera carrelée. Dans une douche, on carrelle les murs jusqu'à une hauteur supérieure de 6 po au moins à la hauteur de la pomme de douche, mais on pose couramment les carreaux sur le reste des murs, jusqu'à une hauteur de 4 pieds, et l'on peut – et c'est parfois très réussi – carreler les murs de haut en bas.

Pour calculer la quantité de carreaux nécessaires, mesurez la surface de chaque mur à couvrir en multipliant la largeur du mur par la hauteur. Soustrayez la surface des portes et des fenêtres. Répétez l'opération pour chaque mur et additionnez les produits obtenus pour ces différentes surfaces : la somme représentera la surface totale à carreler, en pieds carrés. Ajoutez cinq pour cent pour tenir compte des déchets, puis calculez le nombre de cartons de carreaux nécessaires (en divisant la surface totale à couvrir par la surface couverte par les carreaux contenus dans une boîte).

Les garnitures pour planchers et murs se vendent au pied linéaire. Mesurez la longueur nécessaire en pieds linéaires et calculez vos besoins sur cette base. Prévoyez soigneusement vos besoins, car les garnitures coûtent cher. Consultez les p. 22 et 23, et 32 et 33 pour obtenir plus de renseignements sur les types et les styles de garnitures.

Avant d'acheter les carreaux, renseignez-vous auprès du distributeur sur sa politique de retour de la marchandise. La plupart de ceux-ci acceptent de rembourser les carreaux inutilisés. Quoi qu'il en soit, n'oubliez pas ce qui suit : acheter quelques carreaux de trop ne pose pas de problème, mais manquer de carreaux alors que le travail touche à sa fin peut devenir catastrophique si vous ne trouvez plus les carreaux dont vous avez besoin ou si la couleur des nouveaux carreaux diffère de celle des anciens.

EXEMPLE D'ESTIMATION DES BESOINS EN CARREAUX

Mur 1 :	8 pi × 8 pi	64,00 pi ca
	– porte 2,5 pi × 6,5 pi	16,25 pi ca
	=	47,75 pi ca
+ Mur 2 :	8 pi × 10 pi	80,00 pi ca
+ Mur 3 :	8 pi × 8 pi	64,00 pi ca
	– fenêtre 2 pi × 4 pi	8,00 pi ca
	=	56,00 pi ca
+ Mur 4 :	4 pi × 10 pi	40,00 pi ca
Surface murale totale à couvrir		223. 75 pi ca
+ 5 % de déchets		11,18 pi ca
Nouvelle surface totale		235,00 pi ca
÷ nombre de carreaux par boîte		
(les dimensions des carreaux varient)		10,00 pi ca
= Nombre de boîtes nécessaires		24 boîtes

Servez-vous du plan de la pièce pour déterminer les différentes garnitures dont vous aurez besoin (ci-dessus). Examinez les différentes garnitures vendues dans le commerce, qui conviennent aux carreaux que vous avez choisis et optez pour la combinaison qui répond aux spécifications de votre projet.

Achetez en une fois les carreaux, les outils et le matériel nécessaires : vous éviterez ainsi les déplacements inutiles et vous pourrez vous assurer que tous ces éléments sont compatibles et appropriés à votre projet.

Créez et peignez, si l'expérience vous tente, vos propres carreaux dans les magasins spécialisés. Achetez-les dans les dimensions voulues et faites-leur subir une cuisson de biscuit (et non une glaçure). Peignez-les ensuite, au pinceau ou au pochoir, et faites-leur subir cette fois une cuisson de glaçure. Vous trouverez les coordonnées des magasins spécialisés dans le bottin téléphonique.

Mélangez les carreaux des différentes boîtes : les légères variations de couleur entre les carreaux de différentes boîtes se remarqueront moins que si la couleur change d'un endroit à un autre.

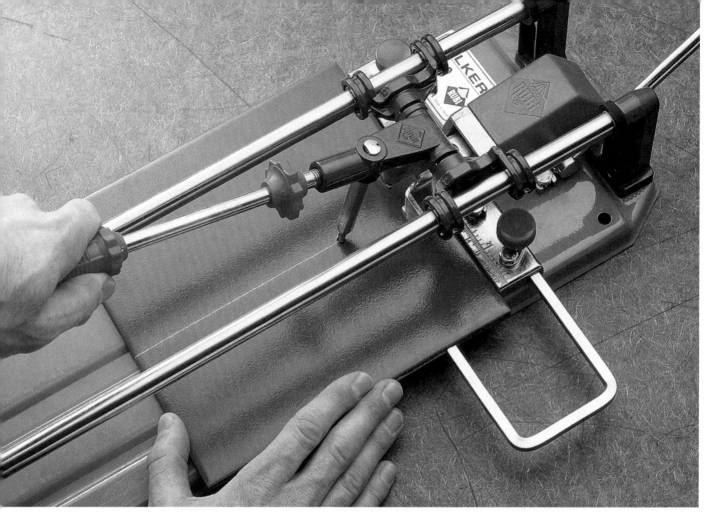

1. *Tracez une ligne de coupe sur le carreau à l'aide d'un crayon ; placez ensuite le carreau dans le coupe-carreaux de manière que la molette repose directement sur la ligne. En appuyant fermement sur la poignée de la molette vers le bas, faites rouler la molette sur la surface du carreau, pour la rayer. La coupe sera d'autant plus nette que vous ne rayerez le carreau qu'une fois.*

COUPE DES CARREAUX

On peut éliminer les coupes inutiles en planifiant soigneusement la pose des carreaux, mais, dans la plupart des cas, il faut en couper quelques-uns, et parfois en couper toute une série. Si vous n'avez que quelques carreaux minces ou d'épaisseur moyenne à couper en ligne droite, utilisez un coupe-carreaux. Si vous avez affaire à des carreaux épais ou si vous devez effectuer de nombreuses coupes, la scie à eau vous facilitera la tâche. Portez des lunettes de sécurité et des protège-oreilles lorsque vous utilisez une scie à eau. Vérifiez la bonne qualité de la lame et assurez-vous que le réservoir d'eau est rempli. N'utilisez jamais de scie à eau sans eau, ne fût-ce que quelques secondes.

Parmi les autres outils de coupe, citons la pince coupante, le coupe-carreaux à main et la scie au carbure. La pince coupante peut être utilisée pour la plupart des carreaux, mais lorsqu'il s'agit de carreaux pour mur, généralement plus friables, il vaut mieux se servir d'une scie au carbure.

Une remarque à propos de la sécurité : les coupe-carreaux à main et les pinces coupantes produisent parfois des arêtes tranchantes comme des lames de rasoir. Manipulez les carreaux coupés avec précaution et arrondissez-en immédiatement les arêtes à l'aide d'une pierre à carreaux.

Avant d'entamer le travail, exercez-vous à effectuer des coupes droites et courbes sur des carreaux non utilisés.

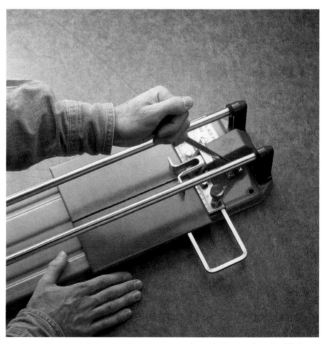

2. *Cassez le carreau le long de la rayure, en suivant les instructions du fabricant. Habituellement, on casse le carreau en abaissant brusquement le bras de levier d'un coupe-carreaux sur celui-ci.*

Comment utiliser une scie à eau

Les scies sont rarement identiques et nous vous conseillons de lire attentivement les instructions du fabricant et de bien les comprendre avant d'utiliser ces outils. Adressez-vous au magasin de location en cas de doute. Portez des lunettes de sécurité et des protège-oreilles, et assurez-vous que l'eau refroidit la lame en tout temps.

Posez le carreau sur la table coulissante et verrouillez le guide qui maintient le carreau en place ; appuyez ensuite le carreau vers le bas en le faisant glisser vers la lame.

Comment tracer l'encoche à angle droit d'un carreau de coin extérieur

1. Posez le carreau à couper sur le dernier carreau entier faisant face à un des murs du coin. Posez un autre carreau entier contre le séparateur de ¹/₂ po placé contre ce mur et tracez, sur le carreau à couper, la droite longeant le bord opposé de cet autre carreau.

2. Déplacez les deux carreaux supérieurs et le séparateur vers le mur adjacent, en veillant à ne pas tourner le carreau marqué. Tracez une deuxième droite sur ce carreau, en répétant l'opération de l'étape 1. Coupez le carreau et posez-le.

99

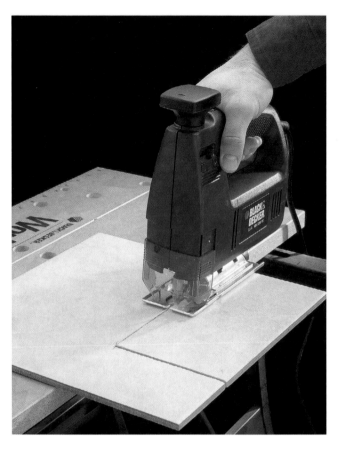

Coupez le long de la ligne tracée *marquant un côté de l'encoche. Tournez le carreau et coupez-le le long de l'autre ligne pour terminer l'encoche. Pour empêcher le carreau de se casser trop tôt, ralentissez en vous rapprochant de l'intersection des deux coupes.*

Pour découper des encoches à angle droit *dans un petit nombre de carreaux pour mur, fixez tour à tour chaque carreau sur une table porte-pièce et effectuez les coupes à l'aide d'une scie sauteuse munie d'une lame au carbure de tungstène. Si vous devez découper de nombreuses encoches, la scie à eau est plus pratique.*

Pour effectuer un petit nombre de coupes *dans des carreaux pour mur, vous pouvez utiliser une scie au carbure. Installez une lame de scie au carbure dans un support de scie à métaux. Supportez fermement le carreau et coupez-le.*

Pour effectuer une toute petite encoche, *rayez le carreau le long du contour de l'encoche et, à l'aide d'une pince coupante, grignotez-le petit à petit jusqu'aux rayures.*

Comment marquer les carreaux et les découper suivant des lignes irrégulières

1. *Faites le patron en papier du contour ou utilisez un gabarit à contour en l'appuyant contre le contour et en traçant celui-ci sur le carreau.*

2. *À l'aide d'une scie à eau, faites une série de coupes parallèles, rapprochées, puis utilisez une pince coupante pour faire les découpes dans la partie à rejeter du carreau.*

Comment effectuer des coupes courbes

1. *Tracez une ligne de coupe courbe sur la surface du carreau et rayez le carreau en suivant cette ligne avec la molette d'un coupe-carreaux à main. Dans la partie à rejeter du carreau, faites plusieurs rayures parallèles, distantes l'une de l'autre de $^1/_4$ po maximum.*

2. *À l'aide d'une pince coupante à carreaux, coupez la partie rayée du carreau.*

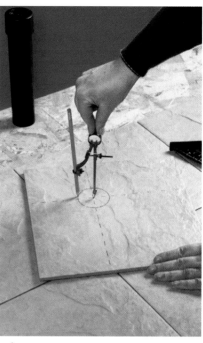

1. Alignez le carreau à découper sur la dernière rangée complète de carreaux et appuyez-le contre le tuyau. Marquez l'axe du tuyau sur le bord avant du carreau.

2. Appuyez le carreau contre un séparateur de ¼ po, placé contre le mur. Marquez l'axe du tuyau sur le bord latéral du carreau. À l'aide d'une équerre combinée, tracez les lignes partant des marques faites sur les deux bords.

3. À l'intersection de ces deux lignes, prise comme centre, tracez un cercle, de diamètre légèrement supérieur à celui du tuyau.

4. Forez le carreau le long du contour, à l'aide d'un embout à carreaux de céramique. Avec un marteau, frappez légèrement pour détacher le morceau à rejeter. Les arêtes vives du trou seront couvertes par les plaques de protection des accessoires de plomberie appelées « écussons ».

Variante : pour découper des ouvertures circulaires au milieu d'un carreau, commencez par rayer et casser le carreau de manière à diviser le cercle du futur trou en deux, en appliquant la méthode de la coupe droite (p. 98), puis utilisez la méthode des coupes courbes (p. 101) pour enlever le matériau à rejeter, de chaque côté de la ligne médiane du futur trou.

Comment forer des trous dans les carreaux

1. À l'aide d'un pointeau, faites une empreinte au centre du futur trou de manière à traverser la glaçure et à empêcher la scie emporte-pièce de se déplacer latéralement.

2. Choisissez une scie emporte-pièce au carbure de tungstène de la taille appropriée, et fixez-la sur une perceuse. Placez le centre de la scie au centre du futur trou et forez le trou.

Comment effectuer des coupes spéciales

Pour couper une mosaïque de carreaux de céramique, *utilisez un coupe-carreaux pour rayer les carreaux de la rangée à couper. Coupez la partie excédentaire de la feuille de mosaïque à l'aide d'un couteau universel, et servez-vous ensuite d'un coupe-carreaux à main pour casser les abacules, un à un.* **Note** *: utilisez une pince coupante à carreaux pour couper les parties d'abacules étroites après avoir rayé ceux-ci.*

103

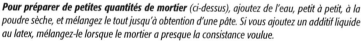

Pour préparer de petites quantités de mortier *(ci-dessus), ajoutez de l'eau, petit à petit, à la poudre sèche, et mélangez le tout jusqu'à obtention d'une pâte. Si vous ajoutez un additif liquide au latex, mélangez-le lorsque le mortier a presque la consistance voulue.*

Pour préparer de grandes quantités *ou une série de lots (à droite), utilisez une perceuse de ¹/₂ po, munie d'une lame de mélange à mortier. Mais, comme l'opération risque fort de griller le moteur d'une perceuse ordinaire de ³/₈ po, nous vous conseillons de louer une perceuse de type industriel si vous n'en possédez pas.*

Mélange et utilisation du mortier

Le mortier à prise rapide est un produit à base de ciment à fine granulométrie, utilisé pour fixer la sous-souche au sous-plancher et des carreaux de céramique à la sous-couche. Dans certains cas, la poudre sèche contient un additif au latex; dans les autres cas, il faut ajouter l'additif liquide au latex lors de la préparation du mortier.

Pour préparer du mortier, ajoutez de l'eau à la poudre sèche, progressivement, en mélangeant le tout jusqu'à obtention d'une pâte. Le mortier doit être assez humide pour que les carreaux collent, mais il ne doit pas « couler ». Lorsqu'on l'étend sur le plancher ou sur le mur, les sillons creusés par la truelle doivent conserver leur forme.

On étend le mortier sur la sous-couche ou le subjectile au moyen d'une truelle à encoches dont le bord crée des sillons dans la couche de mortier. On enfonce ensuite les carreaux dans le mortier, en les faisant osciller légèrement autour de leur axe.

N'étendez le mortier que sur une surface que vous pouvez couvrir de carreaux en 10 minutes. Si le mortier attend trop longtemps, il commence à durcir et les carreaux n'y adhèrent plus. Si le mortier commence à durcir, grattez-le, jetez-le et remplacez-le par une couche de mortier frais.

Comment utiliser le mortier dans la pose de carreaux pour plancher

Étendez uniformément le mortier sur le plancher avec la truelle appropriée. Créez des sillons dans le mortier au moyen du bord dentelé de la truelle.

Appliquez une couche de mortier rapide directement sur l'envers des carreaux, en vous servant du bord dentelé de la truelle pour tracer des sillons dans le mortier.

Comment utiliser le mortier dans la pose de carreaux pour mur

Étendez le mortier sur l'envers de chaque carreau et posez celui-ci contre le mur, en le faisant légèrement osciller.

Variante : étendez le mortier sur une petite section du mur et posez des carreaux à cet endroit. Le mortier à prise rapide sèche vite ; vous devez donc agir promptement si vous utilisez cette méthode.

Photo : courtoisie de Crossville Porcelain Stone

PROJETS DE PLANCHERS

(Ci-dessus) Dans une grande pièce, les carreaux peuvent délimiter des espaces fonctionnels. Ainsi, dans ce salon moderne, la bordure et le changement de motif délimitent l'endroit réservé à la conversation.

L'idée que les planchers de céramique sont réservés aux cuisines et aux salles de bains est dépassée. Les carreaux donnent du style et de la distinction à n'importe quelle pièce.

(Ci-dessus) Le carrelage rend le décor de cet atelier d'artiste à la fois doux et neutre.

(Ci-contre) Le plancher et les murs carrelés se combinent aux meubles pour donner un air de villa européenne à cet intérieur de banlieue.

(Ci-dessus) Avec son agencement de couleurs blanc et noir et sa bordure en losanges, le plancher carrelé rehausse cet élégant décor.

Avez-vous jamais pensé que de simples carrés et rectangles pouvaient être à ce point décoratifs ?

(À droite) L'alternance des carrés taupe et blancs forme une bordure attrayante dans ce salon rustique.

(À l'extrême droite) Les petits carrés posés en diagonale forment des losanges qui soulignent les coins des grands carreaux carrés.

Photo : courtoisie de Crossville Porcelain Stone

Photo : courtoisie de Ceramic Tiles of Italy

Cette photo et celle de la page suivante : courtoisie de Crossville Porcelain Stone

(Ci-dessus) Entourés d'une bordure mosaïquée, les rectangles de couleurs alternées sont posés de manière à former un motif original bien qu'étonnamment simple.

(Page suivante) Cette aire de cuisine-salle à manger est mise en valeur par un carrelage remarquable, formé de carrés noirs et crème, et de rectangles soulignés par des carrés dorés, posés en diagonale. La réalisation d'un plancher aussi compliqué exige une planification minutieuse, mais, en réalité, on ne fait qu'y appliquer les principes simples utilisés pour recouvrir n'importe quel plancher.

Cette photo et page précédente : courtoisie de Ceramic Tiles of Italy

Photo : courtoisie de Ceramic Tiles of Italy

(Ci-dessus) Il n'est pas rare, dans une cuisine, que l'on renverse des liquides. Aussi, la pierre polie constitue-t-elle un plancher de cuisine impressionnant, à condition que la pierre ne devienne pas glissante lorsqu'elle est humide. La porcelaine à texture imprimée et à glaçure antidérapante est préférable à la pierre polie, car elle produit le même effet sans entraîner de risques.

Durable, attrayant et facile à nettoyer, le carrelage reste un excellent choix pour les cuisines.

(Ci-dessus) Le plancher en pierre s'harmonise avec les dessus de comptoirs en pierre et aux électroménagers en acier inoxydable, dans cette cuisine digne d'un authentique maître-queux.

(Page précédente) Les carreaux rectangulaires s'allient aux lignes pures et longitudinales de ce bloc-cuisine, et leur couleur douce fait ressortir l'acier inoxydable des objets.

Photo : courtoisie de Daltile

(Ci-dessus) La fantaisie de l'agencement des carreaux et la bordure mosaïquée qui entoure cet îlot central apportent une touche originale et colorée à la pièce.

Les carreaux de céramique sont, dans l'esprit de plusieurs, indissociables des salles de bains.

(En haut, à gauche) La forme et les dimensions de cette luxueuse salle de bains sont soulignées par les joints de coulis parallèles, de la même couleur que la peinture de la pièce.

(En haut, à droite) La multitude de joints de coulis rend cette mosaïque naturellement antidérapante, qualité très appréciée dans une salle de bains. Les tons pâles, légèrement différents des abacules, agrandissent la pièce.

(À droite) Le seuil relevé de cette douche ouverte renvoie la plus grande partie de l'eau vers le drain. Mais qu'importe, la salle de bains étant entièrement carrelée, quelques gouttes perdues ne posent aucun problème.

(Page suivante) Grâce à l'immense fenêtre et aux accessoires vieillots, ainsi qu'aux carreaux en pierre naturelle, la véranda semble se prolonger à l'intérieur dans la salle de bains. Il faut imperméabiliser les carreaux de carrière avant de les installer dans les endroits exposés à l'humidité.

INSTALLATION D'UN PLANCHER EN CARRELAGE

Le revêtement de sol en carreaux de céramique doit être durable et antidérapant. Choisissez des carreaux qui sont soit texturés, soit très légèrement vernissés – pour qu'ils soient antidérapants – et veillez à ce qu'ils soient classés dans les groupes de résistance 3, 4, ou 5. Le carreau de céramique pour plancher doit être vernissé pour assurer une protection contre les taches. Si vous choisissez un carreau non vernissé, vous devrez y appliquer un produit de scellement après l'avoir installé. Vous trouverez d'autres renseignements sur le choix des carreaux pour plancher aux pages 12 à 23.

Les coulis standard doivent également être protégés contre les taches. Mélangez votre coulis avec un additif au latex et appliquez un produit de scellement pour coulis après avoir laissé sécher ce dernier. Par la suite, appliquez le produit une fois par an.

Pour réussir l'installation des carreaux, il faut soigneusement préparer le plancher et utiliser la bonne combinaison de matériaux. La meilleure sous-couche à poser sur un sous-plancher en bois, dans une salle de bains, est la sous-couche en panneaux de ciment, car elle est stable et résiste à l'humidité (p. 42). L'adhésif pour carreaux de céramique le plus répandu est le mortier à prise rapide, qui se vend sous forme de poudre sèche à mélanger avec de l'eau. Les adhésifs organiques prémélangés ne sont pas recommandés pour les planchers.

Si vous avez l'intention d'installer des carreaux de bordure, réfléchissez à leur installation pendant que vous organisez l'agencement des carreaux de plancher. Certains carreaux de bordure sont posés de chant sur le plancher, leur bord arrondi affleurant les carreaux du plancher ; d'autres sont posés sur les carreaux de plancher.

TOUT CE DONT VOUS AVEZ BESOIN

- **OUTILS :** cordeau traceur, truelle à encoches carrées de ¼ po, perceuse, maillet en caoutchouc, outils de carrelage, pince à bec effilé, couteau universel, aplanissoir à coulis, éponge à coulis, chiffon à polir, pinceau en mousse.

- **MATÉRIEL :** carreaux, mortier à prise rapide, séparateurs de carreaux, bois scié de 2 po × 4 po, matériau de seuil, coulis, additif au latex (mortier et coulis), produit de scellement pour coulis, pâte à calfeutrer à base de silicone.

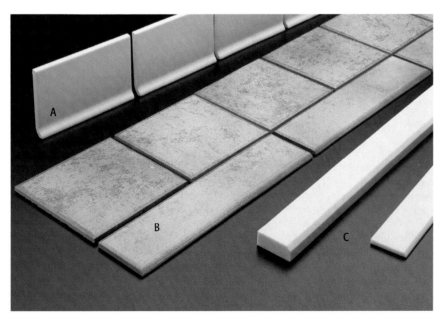

Les matériaux de bordure et de finition *des carrelages en céramique comprennent les carreaux de bordure (A), qu'on installe autour de la pièce, et les carreaux arrondis (B), qu'on installe dans les entrées de porte et dans les autres endroits de transition. Les seuils de porte (C) sont fabriqués en matériaux synthétiques ou en matériaux naturels tels que le marbre, et ils ont une épaisseur allant de ¼ po à ¾ po pour convenir aux différentes épaisseurs de plancher.*

Aperçu de l'installation des panneaux de ciment

1. Commencez par le mur le plus long et étendez le mortier sur le sous-plancher en effectuant un mouvement en forme de huit. Étendez le mortier nécessaire à l'installation d'un panneau à la fois. (Voir p. 104 et 105 la description complète du mélange et de l'application du mortier à prise rapide.) Placez le panneau sur le mortier, le côté rugueux vers le haut, en vous assurant que les bords du panneau sont décalés par rapport aux joints du sous-plancher.

2. Fixez le panneau de ciment au sous-plancher, en utilisant des vis à panneaux de ciment de 1 ½ po. Enfoncez les têtes jusqu'au ras de la surface. Continuez d'installer les panneaux le long des murs après avoir étalé du mortier, en laissant des joints de ⅛ po entre les panneaux, et un joint de ¼ po le long du mur. (Voir p. 62 la description complète de l'installation des panneaux de ciment).

Comment tracer les lignes de référence en vue de l'installation de carreaux pour plancher

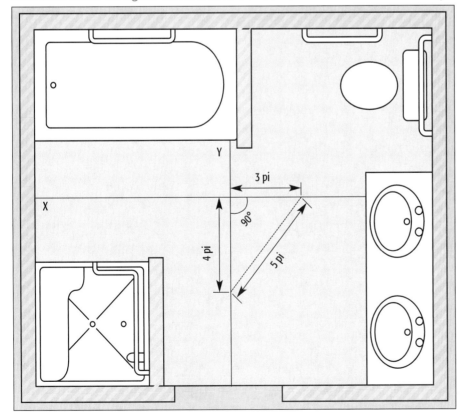

Pour tracer les lignes de référence, tirez une première ligne (X) en joignant d'un trait cinglé au cordeau traceur les milieux de deux côtés opposés de la pièce.

Tirez ensuite la deuxième ligne de référence (Y), perpendiculaire à la première en joignant d'un trait cinglé au cordeau traceur les milieux des deux autres côtés de la pièce.

Vérifiez par la méthode du triangle 3-4-5 si les deux lignes sont perpendiculaires. (Voir p. 83 la description complète de la détermination des lignes de référence perpendiculaires dans le cas d'un projet de carrelage.)

117

1. Tracez les lignes de référence et posez à sec deux rangées de carreaux, le long des deux lignes de référence, en modifiant le schéma d'agencement si nécessaire. Préparez un lot de mortier à prise rapide (voir p. 104 et 105) et étendez uniformément le mortier le long des lignes d'installation d'un quadrant, en créant des sillons dans le mortier au moyen du bord dentelé de la truelle. **Note :** si les carreaux sont grands ou irréguliers, vous devrez peut-être utiliser une truelle à encoches de ⅜ po ou davantage.

2. Placez le premier carreau dans le coin du quadrant, à l'intersection des lignes d'installation. Si le carreau a 8 po de côté ou plus, faites-le osciller légèrement autour de son axe en le pressant dans le mortier, pour lui donner sa position finale. (Si vous posez des carreaux en pierre, les p. 122 et 123 vous renseigneront sur leur préparation.)

3. À l'aide d'un maillet souple en caoutchouc, martelez légèrement la partie centrale de chaque carreau pour l'enfoncer uniformément dans le mortier.

Variante : si vous installez des feuilles de carreaux mosaïqués, utilisez une truelle à encoches en V de ³⁄₁₆ po pour étendre le mortier, et un aplanissoir à coulis pour enfoncer les feuilles dans le mortier. Appuyez légèrement sur les feuilles pour éviter de produire une surface inégale.

4. Placez des séparateurs en plastique aux coins du carreau pour garder un écartement constant entre tous les carreaux. **Note :** dans le cas de feuilles de carreaux mosaïqués, placez entre elles des séparateurs dont la dimension correspond à l'écart entre les carreaux de la feuille.

5. Placez les carreaux adjacents le long des lignes d'installation et pressez-les dans le mortier. Assurez-vous de bien les appuyer contre les séparateurs. Pour qu'ils soient tous au même niveau, posez un morceau plat de bois scié de 2 po × 4 po sur plusieurs carreaux à la fois et martelez-le avec un maillet en caoutchouc. Posez les carreaux sur le reste de la surface couverte de mortier. Répétez les étapes 1 à 5, en travaillant toujours par petites sections, jusqu'à ce que vous atteigniez les murs ou des obstacles.

6. Prenez les mesures nécessaires et tracez la ligne de coupe sur chaque carreau que vous allez poser le long des murs ou dans les coins, en suivant les conseils donnés aux p. 98 à 103. Coupez les carreaux le long des lignes de coupe. Appliquez une couche de mortier à prise rapide directement sur l'envers des carreaux coupés, plutôt que sur le plancher, en vous servant du bord dentelé de la truelle pour tracer des sillons dans le mortier. Posez les carreaux coupés à leur place.

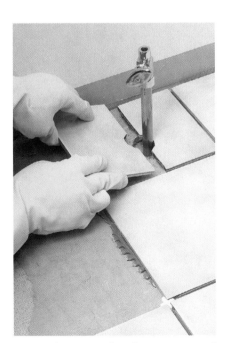

7. Prenez les mesures nécessaires, rayez, coupez et installez les carreaux qui doivent entourer ou contourner des obstacles tels que les tuyaux ou les drains de toilette.

8. À l'aide d'une pince à bec effilé, ôtez les séparateurs avant que le mortier ne durcisse. Inspectez les joints entre les carreaux et utilisez un couteau universel ou un couteau à coulis pour faire disparaître les aspérités de mortier qui pourraient transparaître à travers le coulis. Appliquez du mortier et installez les carreaux dans les autres quadrants, en remplissant ceux-ci un par un.

9. Installez le seuil de chaque entrée de porte. Enfoncez le seuil dans une couche de mortier à prise rapide, de manière qu'il affleure les carreaux. Conservez le même espace entre le seuil et les carreaux qu'entre les carreaux eux-mêmes. Laissez sécher le mortier pendant au moins 24 heures.

Suite à la page suivante

10. *Préparez un peu de coulis à plancher pour remplir les joints entre les carreaux, en suivant les instructions du fabricant. (Si vous préparez un coulis pour des carreaux poreux, comme la pierre de carrière ou la pierre naturelle, utilisez un additif contenant un agent anticollant, afin que le coulis n'adhère pas à la surface des carreaux.) Commencez dans un coin, en versant du coulis sur un carreau. À l'aide d'un aplanissoir en caoutchouc, étalez le coulis vers l'extérieur, en appuyant fermement sur l'aplanissoir pour remplir tous les joints et en vous éloignant du coin. Pour obtenir de meilleurs résultats, inclinez l'aplanissoir à 60° par rapport au plancher et effectuez des mouvements en forme de huit.*

11. *Enlevez l'excédent de coulis de la surface, au moyen de l'aplanissoir. Frottez les joints en diagonale, en tenant l'aplanissoir presque verticalement. Continuez d'appliquer du coulis et d'enlever l'excédent jusqu'à ce que les joints d'environ 25 pi ca de la surface du plancher soient remplis de coulis.*

12. *Passez une éponge humide sur les carreaux, en diagonale, pour ôter l'excédent de coulis, et progressez de 2 pi ca à la fois. Rincez l'éponge entre les passages. Ne passez qu'une fois sur chaque surface, pour éviter d'enlever le coulis des joints. Répétez les étapes 10 à 12 pour appliquer du coulis sur le reste du plancher. Laissez sécher le coulis pendant 4 heures environ, puis essuyez la surface avec un linge doux et sec pour enlever le mince film de coulis qui peut subsister.*

13. *Après avoir laissé complètement sécher le coulis (voir les instructions du fabricant), appliquez, sur tous les joints, un produit de scellement pour coulis, à l'aide d'un petit pinceau en mousse ou d'une brosse de pouce. Évitez de déposer du produit sur les carreaux et essuyez immédiatement tout excédent de produit de scellement.*

Comment installer des carreaux de garniture

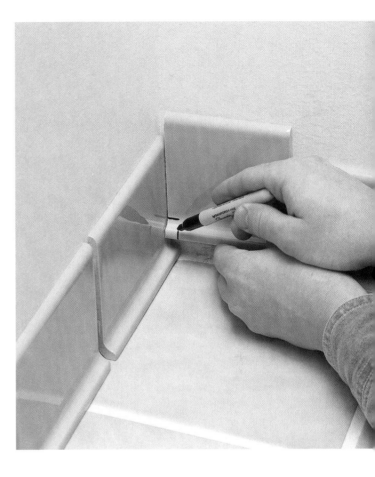

1. Placez les carreaux de garniture à sec de manière à déterminer leur écartement (Les joints de coulis des carreaux de garniture ne coïncident pas nécessairement avec ceux des carreaux du plancher.) Aux coins extérieurs, utilisez des carreaux à bords arrondis et tracez les lignes de coupe nécessaires sur les carreaux de garniture.

2. Laissez un espace vide de ⅛ po entre les carreaux, dans les coins, pour la dilatation des carreaux, et tracez le contour des encoches à tailler pour pouvoir ajuster les carreaux aux endroits où les bords se rencontrent. Utilisez une scie sauteuse munie d'une lame au carbure de tungstène pour chantourner les carreaux.

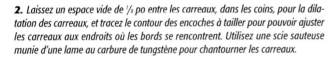

Carreau à double bord, arrondi

3. Commencez l'installation des carreaux de garniture dans un coin intérieur. À l'aide d'une truelle dentelée, appliquez de l'adhésif murs-carreaux sur l'envers de chaque carreau. Glissez des séparateurs de ⅛ po sous les carreaux afin de laisser un joint de dilatation à cet endroit. Posez les carreaux en les appuyant fermement contre le mur.

4. Aux coins extérieurs, placez un carreau à double bord, qui est arrondi d'un côté, pour cacher le bord du carreau adjacent.

5. Après avoir laissé sécher l'adhésif, déposez du coulis dans les joints verticaux séparant les carreaux, et le long des bords supérieurs des carreaux, en formant une ligne continue. Et, après avoir laissé sécher le coulis, remplissez de pâte à calfeutrer à base de silicone le joint de dilatation laissé à la base des carreaux.

Comment poser un motif de carreaux en panneresse

1. Commencez par poser des carreaux en panneresse, à sec, afin d'établir les lignes de référence. Posez quelques carreaux côte à côte, avec des séparateurs. Mesurez la largeur totale de la section (A). Utilisez cette mesure pour cingler une série de lignes parallèles qui vous aideront à maintenir les carreaux alignés pendant l'installation.

2. En commençant à l'intersection des deux lignes d'installation, étalez du mortier à prise rapide sur une petite section et posez une première rangée de carreaux. Appliquez le mortier directement sur l'envers des carreaux qui dépassent de la couche de mortier. Décalez la rangée suivante d'une demi-longueur de carreau plus une demi-épaisseur de joint de coulis.

3. Continuez de poser les carreaux en remplissant les quadrants un à un. Utilisez les lignes de référence parallèles pour garder les rangées droites. Essuyez immédiatement le mortier qui est tombé sur les carreaux. Le travail terminé, laissez sécher le mortier, remplissez les joints de coulis et nettoyez les carreaux.

Comment poser des carreaux hexagonaux

1. Cinglez des lignes de référence perpendiculaires sur la sous-couche. Placez trois ou quatre carreaux dans chaque direction, le long des lignes d'installation. Placez des séparateurs en plastique entre les carreaux pour les espacer uniformément. Mesurez la longueur de cet agencement dans les deux directions (A et B). Utilisez la mesure A pour cingler une série de lignes parallèles à égale distance l'une de l'autre, à travers tout le plancher, et répétez l'opération avec la mesure B dans l'autre direction.

2. Appliquez du mortier à prise rapide, sur une petite section à la fois, et commencez à poser les carreaux. Pour installer des carreaux qui dépassent de la couche de mortier déposée, appliquez directement le mortier sur l'envers du carreau. Continuez de poser les carreaux suivant la grille d'agencement et en utilisant des séparateurs pour les maintenir alignés. Essuyez le mortier qui tombe sur la surface des carreaux. Le travail terminé, laissez sécher le mortier et remplissez les joints de coulis.

Comment poser un motif en diagonale à l'intérieur d'une bordure rectangulaire

1. Déterminez l'emplacement de la bordure dans la pièce (voir p. 85 et 86). Placez les carreaux de bordure et les séparateurs à l'endroit prévu à cet effet. Vérifiez l'alignement des carreaux de bordure sur les lignes de référence. Placez des carreaux à sec aux coins extérieurs de la bordure. Si nécessaire, ajustez l'emplacement des carreaux pour qu'il demande le moins de coupes possible. Une fois établi l'agencement des carreaux, cinglez des lignes le long des carreaux de bordure et le long des bords des carreaux extérieurs. Posez les carreaux de bordure.

2. Tracez les diagonales d'installation qui font un angle de 45° avec les lignes de référence perpendiculaires.

3. Appliquez les techniques de pose standard des carreaux pour installer les carreaux à l'intérieur de la bordure. Si vous devez travailler dans un endroit carrelé qui n'a pas eu le temps de sécher toute une nuit, agenouillez-vous sur une grande planche pour mieux distribuer votre poids.

123

INSTALLATION D'UN PLANCHER EN PIERRE ET EN MOSAÏQUE

Dans le projet suivant, on combine des carreaux en pierre de 4 po × 4 po avec un motif central et une bordure mosaïqués destinés à créer un élément décoratif dans un vestibule. Cette idée peut facilement s'adapter à différentes pièces : on peut, par exemple, border de cette manière un salon, ou créer l'effet d'un tapis devant un foyer. Pour concevoir l'agencement d'un plancher semblable, consultez les p. 85 et 86, puis centrez le motif à l'intérieur de la bordure.

Les techniques d'agencement des carreaux en pierre naturelle sont à peu près semblables à celles qu'on utilise pour les carreaux de céramique, mais il faut quand même tenir compte de certaines particularités.

Premièrement, les carreaux en pierre se fissurent plus facilement que ceux en céramique. Le subjectile utilisé doit absolument être solide et plane, surtout si l'on installe de grands carreaux. Plus le carreau est grand, plus il y a de risque qu'il se brise sous l'effet des contraintes, si la structure du plancher ne le soutient pas adéquatement. (Voir p. 56 à 58 comment réparer et renforcer les sous-planchers ; et voir p. 60 à 62 comment installer une sous-couche.)

Les carreaux en pierre naturelle sont plus irréguliers que les carreaux fabriqués. Les boîtes de carreaux en pierre, surtout si les carreaux sont grands et polis, risquent de contenir des carreaux irréguliers. Assurez-vous d'acheter suffisamment de carreaux pour pouvoir retourner ceux qui sont trop irréguliers après les avoir triés.

Il faut imperméabiliser certains carreaux avant de les installer si l'on veut éviter que le coulis ne les tache. Demandez conseil à ce sujet à votre distributeur.

TOUT CE DONT VOUS AVEZ BESOIN

- **Outils :** cordeau traceur, truelle à encoches carrées de $1/4$ po, maillet en caoutchouc, outils de carrelage, pince à bec effilé, couteau universel, aplanissoir à coulis, éponge à coulis, chiffon à polir, pinceau en mousse.

- **Matériel :** carreaux en pierre de 4 po × 4 po, abacules, médaillon mosaïqué, mortier à prise rapide, séparateurs de carreaux, bois scié de 2 po × 4 po, matériau de seuil, coulis, additif au latex (pour mortier et coulis), imperméabilisant pour coulis, pâte à calfeutrer à la silicone.

Inspectez les carreaux. *Placez les carreaux en pierre polie côte à côte et examinez-les attentivement. Marquez ceux qui sont légèrement irréguliers et augmentez l'épaisseur du mortier à prise rapide là où c'est nécessaire lors de leur installation, afin qu'ils soient de niveau. Retournez les carreaux trop irréguliers au fournisseur.*

Assurez-vous que le sous-plancher est plane *et solide. En cas de problème, trouvez la solution avant d'entamer le projet (voir p. 56 à 58). Cette considération est importante pour tous les planchers en carrelage, mais particulièrement pour les carreaux en pierre polie.*

Posez les carreaux en pierre polie à sec, *en utilisant des séparateurs de* $1/16$ *po. (Prévoyez un coulis sans sable). Utilisez des séparateurs plus larges (et un coulis avec sable) avec des carreaux en pierre ordinaire.*

Utilisez un mortier à prise rapide blanc *avec le marbre clair, le travertin et les autres pierres naturelles plus ou moins translucides. Lorsque vous étendez le mortier à la truelle, redoublez de soin dans la pose de la couche de surface afin qu'elle soit parfaitement uniforme.*

Imperméabilisez les carreaux avant de les installer, *pour que le coulis ne les tache pas s'il est d'une autre couleur. Vérifiez les instructions du fabricant ou demandez conseil au détaillant à ce sujet. Ce point est particulièrement important si la pierre est poreuse ou rugueuse.*

Empêchez le coulis de tacher *les carreaux en essuyant rapidement et souvent les carreaux à l'aide d'un chiffon propre et humide.*

1. *Mesurez la surface à recouvrir et faites-en le plan à l'échelle. Mesurez le motif central mosaïqué et déterminez les dimensions et l'emplacement de la bordure (voir p. 80 à 86 pour les détails).*

2. *Installez des panneaux de ciment dans la zone du projet et tirez les éventuels joints. (Voir p. 60 à 63 pour les détails.)*

3. *Cinglez les lignes de référence perpendiculaires. Vérifiez leur perpendicularité en utilisant la méthode du triangle 3-4-5 (voir p. 82 et 83 pour tout renseignement complémentaire).*

4. *Faites une marque sur chaque ligne, à égale distance du centre. Si le motif central est un carré de 12 po de côté, faites les marques à 12 po du centre ; si c'est un carré de 24 po de côté, faites les marques à 24 po du centre, etc. Cinglez les lignes joignant ces marques qui feront, avec les lignes de référence, un angle de 45°.*

5. En respectant l'agencement créé à l'étape 1, tracez les lignes d'installation de la bordure. (Assurez-vous que ces lignes sont parallèles aux lignes de référence.) Découpez des bandes d'abacules et posez-les à sec à l'emplacement de la bordure.

6. Posez à sec les carreaux extérieurs aux coins de la bordure, en les alignant sur les lignes de référence diagonales. Utilisez des séparateurs et faites des ajustements, si nécessaire. Une fois les carreaux posés, tracez le contour des carreaux extérieurs.

7. Posez définitivement les carreaux entourant la bordure, après les avoir coupés, si nécessaire. (Voir aux p. 118 à 121 les détails sur la pose des carreaux.) Enlevez les séparateurs. Laissez sécher le mortier conformément aux instructions du fabricant. Posez définitivement les carreaux de la bordure.

8. Placez le motif central, en l'alignant sur les lignes de référence diagonales. Posez à sec les carreaux à l'intérieur de la bordure, en utilisant des séparateurs et en alignant les carreaux sur les lignes de référence principales.

Suite à la page suivante

9. *En cas de coupe délicate, faites un patron en papier, du carreau coupé, et utilisez-le ensuite pour tracer les lignes de coupe sur le carreau.*

10. *Marquez l'emplacement des carreaux décoratifs qui se détacheront sur le fond de carreaux ordinaires. Mesurez les carreaux décoratifs et reportez les lignes de coupe sur les carreaux ordinaires que vous devrez couper.*

11. *Posez définitivement le motif central, puis les carreaux ordinaires à l'intérieur de la bordure. (Évitez de peser de tout votre poids sur les carreaux fraîchement installés.) Enlevez les séparateurs et laissez sécher le mortier jusqu'au lendemain ou conformément aux instructions du fabricant.*

Conseil : *si vous devez absolument vous tenir sur des carreaux fraîchement posés pour travailler, posez préalablement un grand panneau qui distribuera uniformément votre poids sur une grande surface de carreaux.*

128

12. Installez les seuils dans les entrées de porte. Posez-les sur une couche de mortier à prise rapide d'une épaisseur telle que ceux-ci arrivent au ras des carreaux. Faites des joints de la même largeur que ceux qui séparent les carreaux. Laissez sécher le mortier pendant 24 heures.

13. Préparez une petite quantité de coulis et remplissez les joints du carrelage. (Voir à la p. 120 comment remplir les joints de coulis.) Laissez sécher le coulis avant de l'imperméabiliser à l'aide d'un petit pinceau en mousse ou d'une brosse de pouce.

14. Posez les plinthes en bois ou les carreaux de garniture au bas des murs de la pièce.

CRÉATION ET INSTALLATION D'UN PLANCHER MOSAÏQUÉ

L'art de la mosaïque existe depuis des siècles. En fait, le plus ancien plancher de mosaïque a été découvert en Turquie et il date d'environ 700 avant J.-C. Si la mosaïque est un art, elle n'est pas pour autant l'apanage des artisans. On trouve aujourd'hui une grande variété de mosaïques assemblées sur grilles, et les matériaux modernes permettent à quiconque en a le temps et la patience de créer une mosaïque originale.

Jusqu'à tout récemment, il fallait beaucoup de temps et de patience pour réaliser une mosaïque compliquée, mais les récentes innovations permettent d'atteindre des résultats plus rapidement.

TOUT CE DONT VOUS AVEZ BESOIN

- **Outils :** cordeau traceur, truelle à encoches carrées de ¼ po, maillet en caoutchouc, outils de carrelage, pince à bec effilé, couteau universel, aplanissoir à coulis, éponge à coulis, chiffon à polir, pinceau en mousse.

- **Matériel :** logiciel de conception de mosaïques, abacules, carreaux à plancher mosaïqué, support de montage de mosaïques, grilles à abacules, photo ou autre image, carreaux pour plancher, mortier à prise rapide, séparateurs, coulis, additif au latex (pour mortier et coulis), imperméabilisant pour coulis.

Grâce à la conception assistée par ordinateur on peut désormais, en partant d'une image, lui appliquer des couleurs, créer un patron et même, dans certains cas, produire la liste des articles nécessaires pour réaliser le projet. Il va sans dire que cela simplifie et accélère grandement le processus.

Dans le projet décrit ici, nous avons utilisé le logiciel Tile Creator, des grilles à abacules et des supports de montage Mosaic Mount que l'on trouve chez les détaillants spécialisés ou chez les fournisseurs en ligne dont le nombre ne cesse de croître (voir Ressources, à la p. 246, pour les détails). Le programme produit une liste des articles nécessaires et un patron sous la forme d'un tableau de peinture par numéros, extrêmement facile à suivre.

Le programme comprend également des instructions, étape par étape, qui permettent à l'intéressé de créer son propre patron, mais nous ne faisons ici qu'une description générale du processus qui vous donnera une idée de ce dont vous avez besoin. Vous devez pouvoir utiliser un ordinateur et importer des fichiers dans un programme, mais vous ne devez pas être un technicien chevronné pour faire fonctionner le tout.

Nous avons utilisé des abacules de 1 po, mais des abacules de ¾ po conviennent également. Consultez les p. 80 à 86 pour en savoir davantage sur l'installation des planchers.

1. *Fouillez dans les photos de famille, les revues, les cartes postales et les catalogues, pour trouver les images qui vous intéressent. (Respectez toujours les lois sur les droits d'auteur.) Numérisez plusieurs images de 72 à 150 ppp (points par pouce). Si vous ne disposez pas d'un scanneur, numérisez les images dans un centre de reprographie. Sauvegardez les images dans des fichiers JPG, BMP ou TIF.*

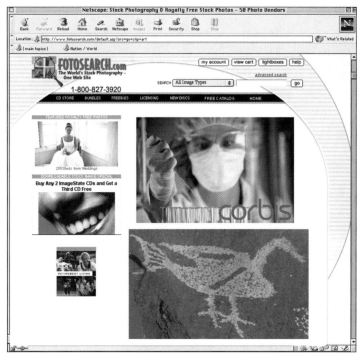

2. *Téléchargez des images tirées de CD de clip art ou diffusées sur Internet. (Recherchez des images de formes et de couleurs distinctes). Dans ce cas également, la résolution de 72 à 150 ppp est la meilleure. Sauvegardez les images dans des fichiers JPG, BMP ou TIF.*

3. *Vous aurez une bonne idée de la mosaïque obtenue à partir d'une image si vous réduisez le nombre de pixels jusqu'à ce que l'image ait l'air d'être imprimée sur du papier quadrillé.*

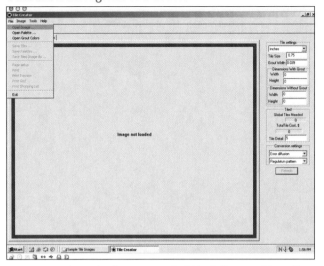

1. Importez une image dans le programme. (Le fichier de l'image ne doit pas dépasser 5 mégaoctets, la résolution de l'image ne doit pas dépasser 300 ppp, et il faut utiliser des couleurs RVB.)

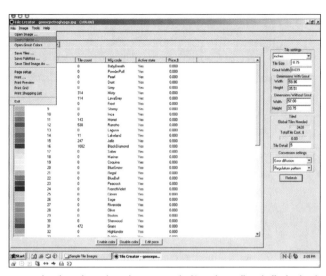

2. Examinez les palettes de couleurs en vue de déterminer celle qui offre le plus de couleurs principales que l'on trouve sur l'image. Sélectionnez cette palette.

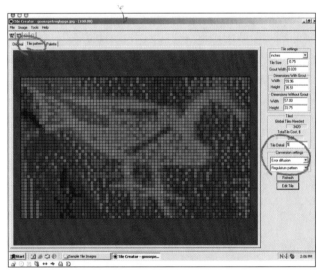

3. Essayez les différents paramètres suivants : largeur des joints de coulis, dimensions de l'image et conversion des couleurs. Essayez les deux patrons possibles : « regulatum » (rangées et colonnes droites) et « tessulatum » (colonnes décalées). Notez les dimensions définitives de la mosaïque.

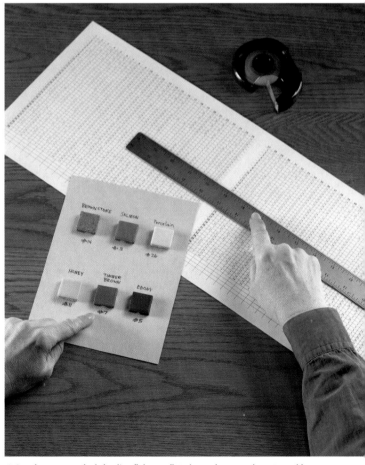

4. Imprimez une copie de la pièce finie, une liste des couleurs requises et un tableau numéroté correspondant aux couleurs des abacules tirées de la liste des couleurs.

1. *Préparez le sous-plancher et la sous-couche dans la zone du projet, puis tracez les lignes de référence. (Consultez les p. 46 à 77 pour trouver l'information relative à la préparation de la zone du projet.)*

2. *Créez un agencement de carrelage et déterminez l'emplacement de la mosaïque. (Pour plus de détails, consultez les p. 80 à 86.) Cinglez les lignes qui délimitent la surface de la mosaïque, puis posez à sec les carreaux qui entourent cette surface.*

3. *Posez les carreaux qui entourent la mosaïque avec du mortier à prise rapide et laissez-le sécher complètement. (Consultez les p. 118 à 121 sur l'installation des carreaux.)*

4. *Mesurez les grilles d'abacules (voir p. 132) et tracez les rectangles correspondants sur la surface réservée à la mosaïque.*

1. Identifiez chaque couleur par un numéro. Assemblez les abacules des grilles en suivant la numérotation du tableau obtenu par le logiciel. Progressez grille par grille et indiquez sur le tableau chaque rangée d'abacules que vous avez terminée.

2. Couvrez chaque grille terminée d'une feuille du support de montage, après l'avoir séparée de sa pellicule protectrice, et appuyez-la progressivement contre la grille d'abacules. Frottez-la pour vous assurer qu'elle adhère bien à chaque abacule.

3. Prenez le support par les coins et soulevez le support garni des abacules, hors de la grille. (Ces sections de la mosaïque sont étonnamment rigides, mais manipulez-les avec grand soin pour éviter que les abacules ne se déplacent.)

4. Étendez du mortier à prise rapide sur la sous-couche, rectangle par rectangle et posez les abacules à leur place. Enfoncez les abacules dans le mortier au moyen d'un aplanissoir à coulis. (Consultez les p. 118 à 121 pour plus d'information sur le remplissage des joints de coulis.)

5. Lorsque le mortier est complètement sec, décollez précautionneusement le support des abacules.

6. Étalez du coulis sur les abacules et enfoncez celui-ci dans les joints à l'aide d'un aplanissoir à coulis. Essuyez l'excédent de coulis avec une éponge, puis effacez toute trace de coulis résiduel. (Voir à la p. 120 d'autres détails sur l'installation du coulis entre les carreaux.)

Variante : conversion des patrons de points de croix en images d'abacules

1. Si vous ne disposez pas de l'équipement informatique nécessaire pour créer vos propres patrons de mosaïques, essayez d'utiliser un patron de points de croix. Agrandissez-le à l'aide d'un copieur et déterminez la partie du patron dont vous vous servirez comme modèle ainsi que la dimension de la mosaïque.

2. Choisissez vos abacules et choisissez, parmi les couleurs propres aux abacules, celles qui correspondent aux différentes couleurs de fil indiquées. Suivez le patron pour placer les abacules dans les grilles et posez la mosaïque en suivant les instructions données aux pages précédentes.

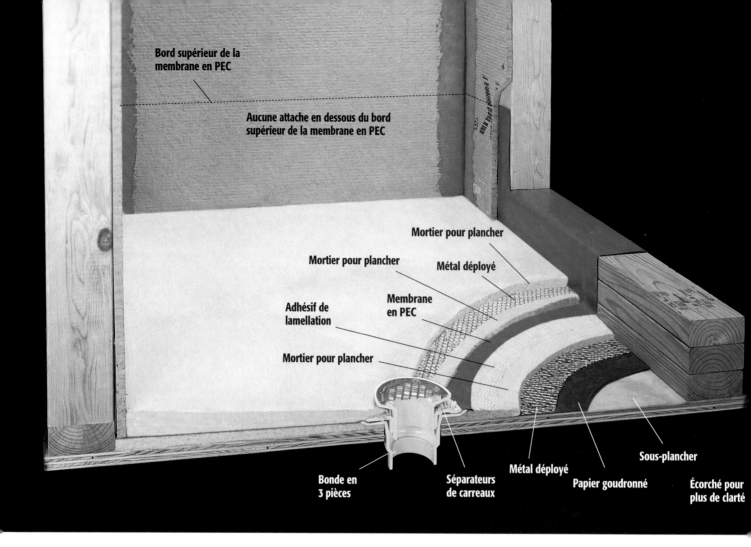

Bord supérieur de la
membrane en PEC

Aucune attache en dessous du bord
supérieur de la membrane en PEC

Mortier pour plancher

Mortier pour plancher

Métal déployé

Adhésif de
lamellation

Membrane
en PEC

Mortier pour plancher

Bonde en
3 pièces

Séparateurs
de carreaux

Métal déployé

Papier goudronné

Sous-plancher

Écorché pour
plus de clarté

CONSTRUCTION SUR MESURE D'UN RECEVEUR DE DOUCHE CARRELÉ

Si l'on construit soi-même un receveur de douche sur mesure carrelé on a l'énorme avantage de pouvoir choisir son emplacement et ses dimensions. La construction du receveur est relativement simple, mais elle prend du temps et exige une connaissance rudimentaire des techniques de maçonnerie, car le receveur est essentiellement construit en mortier.

TOUT CE DONT VOUS AVEZ BESOIN

• **OUTILS :** mètre à ruban, scie circulaire, marteau, couteau universel, agrafeuse, niveau de 2 pi, boîte à mélanger le mortier, truelle, taloche en bois, marqueur à pointe de feutre, clé à rochet, bouchon extensible, perceuse, cisaille de ferblantier, niveau torpille, outils de carrelage (p. 40 et 41).

• **MATÉRIEL :** bois scié de 2 po × 4 po et de 2 po × 10 po, clous ordinaires galvanisés 16d, papier de construction n° 15, agrafes, bonde en trois pièces, apprêt pour PVC, ciment pour PVC, clous de finition galvanisés, métal déployé galvanisé, mortier épais pour plancher, additif au latex pour mortier, adhésif de lamellation, membrane étanche et coins étanches préformés en PEC, adhésif à solvant organique pour membrane en PEC, produit de scellement pour membrane en PEC, panneau de ciment et matériel d'installation (p. 42), matériel de carrelage (p. 43).

On construit le receveur de douche carrelé en trois phases de manière à assurer le drainage approprié de l'eau : le fond, le receveur et le plancher. On commence par construire le fond sur le sous-plancher, en donnant à la surface une pente de ¹/₄ po par 12 po de plancher de douche, orientée vers la bonde. On pose ensuite le receveur, c'est-à-dire une membrane étanche en polyéthylène chloré (PEC) qui constitue un joint étanche entre le plancher et le fond de la douche. Et on termine par un deuxième lit de mortier renforcé de métal déployé, destiné à recevoir le plancher qui servira de support au carrelage. Si de l'eau s'infiltre dans le plancher carrelé de la douche, le receveur et le fond incliné la dirigeront vers les trous d'évacuation de la bonde faite de trois pièces.

Une des étapes les plus importantes de la construction sur mesure du receveur carrelé consiste à tester le receveur de la douche après son installation (étape 13). Cette opération permet de localiser toute éventuelle fuite et de l'éliminer avant qu'elle n'occasionne des dégâts coûteux.

Le matériel nécessaire à la construction de ce receveur de douche est vendu dans la plupart des maisonneries ou des magasins de carrelage spécialisés. N'oubliez pas de vérifier, auprès du service de construction local, les codes qui sont applicables et d'obtenir les permis nécessaires.

136

1. *Enlevez les matériaux de construction pour mettre à nu le sous-plancher et les poteaux muraux (voir p. 46 à 71). Coupez trois morceaux de bois scié de 2 po × 4 po et fixez-les aux solives de plancher et aux poteaux du seuil avec des clous communs 16d galvanisés. Coupez également des morceaux de bois de 2 po × 10 po aux dimensions voulues pour les installer entre les poteaux, sur le périmètre de la base de la douche.*

2. *Agrafez du papier de construction n° 15 au sous-plancher de la base de la douche. Démontez la bonde en trois pièces et, à l'aide de ciment pour PVC, collez la pièce inférieure au tuyau de vidange. Vissez partiellement les boulons de la pièce et enfoncez un chiffon dans le tuyau pour empêcher le mortier de tomber dans celui-ci.*

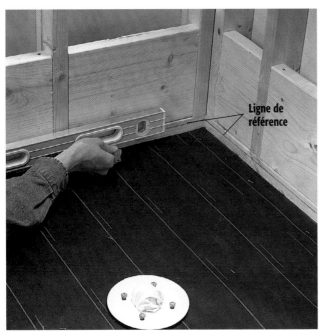

3. *Marquez la hauteur de la pièce inférieure de la bonde sur la paroi la plus éloignée du centre de la bonde. Mesurez la distance entre le centre de la bonde et cette paroi, puis augmentez la hauteur de la marque, de 1/4 po par 12 po de plancher de douche, de manière à incliner le fond de la douche vers la bonde. À l'aide d'un niveau, tracez une ligne de référence à cette hauteur, sur toutes les parois de la douche.*

4. *Agrafez du métal déployé galvanisé au papier de construction ; découpez un trou dans le métal déployé, à 1/2 po de la bonde. Préparez un mortier pour plancher épais, en le renforçant avec un additif au latex ; le mortier devrait garder sa forme lorsqu'on le presse dans la main (mortaise). Façonnez le fond de la douche en étalant le mortier sur le sous-plancher avec une truelle, de la bride de la pièce inférieure de la bonde jusqu'à la hauteur de la ligne tracée sur les parois intérieures de la douche.*

Suite à la page suivante

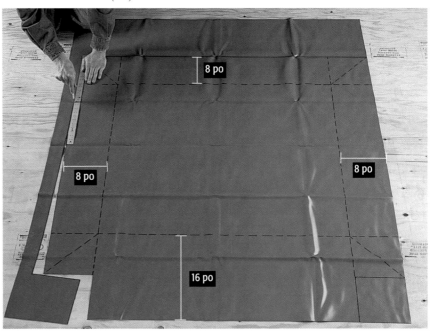

5. *Achevez de façonner le fond de la douche à la truelle en vérifiant la pente à l'aide d'un niveau et en comblant les creux avec du mortier. Achevez la surface avec un aplanissoir en bois pour qu'elle soit uniforme et lisse. Laissez sécher le mortier jusqu'au lendemain.*

6. *Mesurez les dimensions du plancher de la douche et tracez son contour à l'aide d'un marqueur sur une feuille de membrane étanche de PEC. Tracez un nouveau contour en ajoutant 8 po pour chaque paroi, et 16 po pour le seuil. À l'aide d'un couteau universel et d'une règle rectifiée, découpez la membrane suivant ce dernier contour. Prenez soin de découper la membrane sur une surface propre et lisse, vous éviterez ainsi de la percer.*

7. *Prenez les mesures qui vous permettent de déterminer l'emplacement exact de la bonde et tracez, sur la membrane, un cercle dont le diamètre est le même que celui de la bride. Découpez un cercle de membrane de PEC dont le diamètre sera supérieur d'environ 2 po à celui de la bride et collez-le avec un adhésif à solvant organique pour membrane de PEC, de manière à renforcer le joint à l'endroit de la bonde.*

8. *À l'aide d'une truelle à encoches, couvrez d'une couche d'adhésif de lamellation le fond de la douche, le seuil et les parois, puis appliquez du produit de scellement pour PEC autour de la bonde. Pliez la membrane le long du contour du plancher. Posez la membrane sur le fond de la douche de manière que le joint renforcé soit centré sur les boulons de la bonde.*

9. En progressant de la bonde vers les parois, lissez soigneusement la membrane pour expulser les bulles d'air. Pressez bien la membrane dans les coins, en pliant l'excédent de matière de sorte qu'ils forment des rabats triangulaires. Appliquez de l'adhésif à solvant organique pour PEC sur un côté du rabat, puis pressez celui-ci à plat et agrafez-le en place (mortaise). N'agrafez que le bord supérieur de la membrane à la paroi ; ne l'agrafez pas en dessous du bord supérieur du seuil ni sur le seuil même.

10. À l'endroit du seuil, coupez la membrane le long des poteaux pour qu'elle puisse recouvrir le seuil. À l'aide d'adhésif à solvant organique, collez un coin étanche préformé dans chaque coin du seuil, sans l'agrafer.

11. À l'endroit du renfort central de la membrane, situez l'emplacement des boulons de la bonde et marquez-les. Appuyez sur la membrane vers le bas, autour des boulons, puis utilisez un couteau universel pour inciser précautionneusement la membrane, juste assez pour que les boulons la traversent. Poussez la membrane vers le bas, le long des boulons.

12. À l'aide d'un couteau universel, découpez soigneusement la membrane, de manière à dénuder la bonde pour pouvoir mettre la pièce intermédiaire en place. Enlevez les boulons et placez la pièce intermédiaire sur les trous des boulons. Replacez les boulons en les serrant uniformément et fermement, de manière à créer un joint étanche.

Suite à la page suivante

13. *Testez l'étanchéité du receveur de la douche jusqu'au lendemain. Placez un bouchon (mortaise) dans le drain, sous les trous d'évacuation, et remplissez d'eau le receveur de la douche, jusqu'à 1 po du bord du seuil. Marquez le niveau de l'eau et ne touchez plus à rien jusqu'au lendemain. Si le niveau n'a pas changé, le receveur est étanche. Sinon, trouvez les fuites et colmatez-les en installant des pièces de membrane avec de l'adhésif à solvant organique pour PEC.*

14. *Installez du panneau de ciment sur les parois intérieures de la douche (p. 74 et 75), en utilisant des intercalaires en bois de $\frac{1}{4}$ po pour séparer le bord inférieur de chaque panneau, de la membrane de PEC. Évitez de percer la membrane : n'utilisez pas d'attaches à moins de 8 po du bord inférieur des panneaux de ciment. Découpez une pièce de métal déployé et enroulez-la autour des trois côtés du seuil. Pliez le métal pour qu'il enserre bien le seuil. Pressez-le contre la face supérieure du seuil et agrafez-le à la face extérieure. Préparez assez de mortier pour couvrir les deux côtés du seuil.*

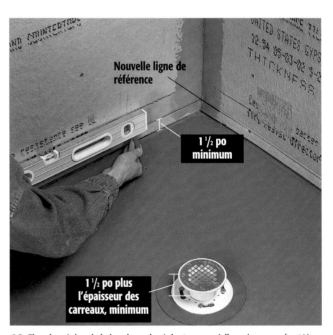

Nouvelle ligne de référence

1$\frac{1}{2}$ po minimum

1$\frac{1}{2}$ po plus l'épaisseur des carreaux, minimum

15. *Placez sur le seuil une planche de 1 po d'épaisseur qui dépasse le bord avant du seuil et arrive au ras du mur extérieur. Appliquez du mortier sur le métal déployé de la face extérieure du seuil, jusqu'au ras de la planche. Enlevez l'excédent de mortier, puis utilisez un niveau torpille pour vérifier si la face extérieure du seuil est d'aplomb. Apportez les corrections nécessaires et répétez l'opération pour couvrir la face intérieure du seuil. **Note :** vous achèverez la face supérieure du seuil plus tard, après avoir installé le carrelage (étape 19). Laissez sécher le mortier jusqu'au lendemain.*

16. *Fixez la crépine de la bonde, en la réglant pour qu'elle arrive au moins 1$\frac{1}{2}$ po au-dessus du receveur de la douche. Sur une paroi, tracez un trait à 1$\frac{1}{2}$ po du receveur de la douche puis, à l'aide d'un niveau, tracez une ligne de référence le long du périmètre de la base de la douche. Comme on a donné au fond de la douche une pente de $\frac{1}{4}$ po par pied, on conservera cette inclinaison.*

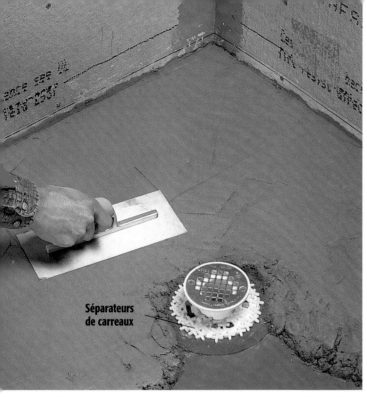

17. Posez des séparateurs de carreaux, en couronne sur les trous d'évacuation de la bonde pour empêcher le mortier de boucher les trous. Mélangez du mortier pour plancher, puis façonnez le plancher de la douche jusqu'à ce que son épaisseur soit environ égale à la moitié de celle de la base. Découpez du métal déployé et couvrez-en le mortier, sans qu'il approche à moins de ½ po de la bonde (voir la photo de l'étape 18).

18. Continuez d'ajouter du mortier pour que le plancher atteigne la ligne de référence tracée sur la paroi. Utilisez un niveau pour vérifier la pente, et comblez les creux à la truelle. À l'endroit de la bonde, laissez un espace égal à l'épaisseur du carrelage. Aplanissez la surface avec un aplanissoir en bois jusqu'à ce qu'elle soit lisse et inclinée uniformément vers la bonde. Laissez sécher le mortier jusqu'au lendemain avant d'installer les carreaux.

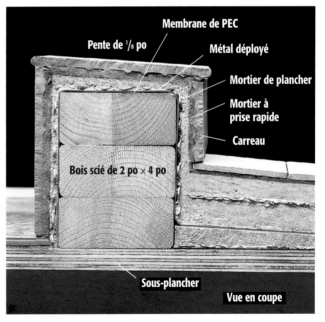

19. Après avoir laissé sécher le plancher, tracez les lignes de référence et établissez l'agencement du carrelage, puis préparez la quantité de mortier nécessaire et installez le carrelage du plancher (p. 118 à 121). À l'endroit du seuil, coupez les carreaux intérieurs de façon qu'ils dépassent de ½ po de la face supérieure inachevée du seuil, et coupez les carreaux extérieurs de façon qu'ils dépassent de ⅝ po de la face supérieure. Ainsi, vous établirez une pente de ⅛ po qui ramènera l'eau vers l'intérieur de la douche. Au fur et à mesure que vous progressez, utilisez un niveau pour vérifier la hauteur des carreaux.

20. Préparez suffisamment de mortier pour recouvrir la face supérieure inachevée du seuil, puis étalez-en entre les carreaux avec une truelle. Arasez le mortier pour qu'il affleure le bord supérieur des carreaux. Laissez sécher le mortier, puis installez les carreaux à bords arrondis sur le seuil. Installez les carreaux pour mur sur les parois, puis posez le coulis, et nettoyez et imperméabilisez tous les carreaux (p. 154 à 157). Après avoir laissé sécher le coulis, déposez un cordon de pâte à jointoyer à base de silicone dans tous les coins intérieurs, pour former des joints de contrôle.

Photo : courtoisie de Walker Zanger, Inc.

PROJETS
MURAUX

(En haut) Un groupe de carreaux peints à la main sur un mur uni crée un ornement qui attire le regard.

En combinant des carreaux de couleurs et de styles différents, on obtient souvent des murs attrayants.

(Ci-dessus) On peut rehausser l'allure de simples carreaux carrés en leur ajoutant une bordure mosaïquée, délimitée par des baguettes.

(Page précédente) En disposant judicieusement des carreaux de couleurs sur un fond de carreaux unis, bon marché, on peut créer un ensemble attrayant d'un prix abordable. Et des bordures de couleurs semblables font encore ressortir davantage les carreaux décoratifs.

(À droite) En élaborant soigneusement son plan de travail, on peut créer des effets intéressants : il suffit d'utiliser des bandes de couleurs et de varier les agencements. Sur le mur, à l'extrême droite de cette salle de bains, les carreaux et les baguettes de plusieurs couleurs ressortent sur le fond de carreaux blancs. Sur le mur de gauche, des baguettes encadrent le miroir, qui est placé sur un fond de carreaux blancs et de carreaux décoratifs. Entouré de baguettes et d'un agencement carrelé en diagonale, le lavabo devient un élément décoratif de la pièce.

Les agencements originaux rendent des pièces attrayantes

(À droite) L'assemblage en onglet des coins donne un cachet particulier au carrelage qui entoure la baignoire.

(À l'extrême droite) On installe souvent les carreaux de cette taille et de cette forme – appelés carreaux de métro aux États-Unis – en les décalant d'une rangée à l'autre. S'il n'est pas difficile à réaliser, ce bel agencement requiert quand même une préparation plus soignée que l'agencement traditionnel à joints alignés.

Ces photos vous montrent des arrangements ingénieux que l'on peut également utiliser dans des pièces plus petites et plus simples.

(Ci-dessus) C'est le carrelage qui divise cette grande salle de bains moderne en plusieurs aires fonctionnelles distinctes. La douche ouverte est délimitée par des murs recouverts de carreaux alignés normalement, tandis que l'aire d'habillage est soulignée par un panneau à bordure ornementale et l'inversion des couleurs du fond et des bordures. Le miroir qui surmonte le lavabo se détache sur un fond de carreaux posés en diagonale. Quant à la section du lavabo, elle se distingue par un fond de carreaux de tailles et de formes différentes.

(Page suivante) Le mur est agrémenté d'une combinaison de carreaux semblables, mais des baguettes et des listels soulignent le passage du fond de carreaux posés orthogonalement au fond de carreaux posés en diagonale. Cette disposition rompt la monotonie que produit un mur recouvert de carreaux unis.

Photos : courtoisie de Crossville Porcelain Stone, opposite photo courtesy of Ceramic Tiles of Italy

Le carrelage des murs les unit visuellement aux planchers et aux dessus de comptoirs carrelés.

(En haut) Le manteau de cheminée et son contour créent un effet particulier par leur forme et leur dimension, et ils s'harmonisent avec le plancher, dont le motif recherché conserve tout son attrait.

(En bas) Une bordure en carreaux, baguettes et listels décoratifs, entoure simultanément une banquette et la coiffeuse.

(Page précédente) Les carreaux qui délimitent l'emplacement du foyer et forment le chambranle de la cheminée fondent ces éléments dans un décor apaisant.

149

Les dosserets carrelés sont à la
fois beaux et fonctionnels

(Ci-dessus) Ce dosseret carrelé contrastant et ses bor-
dures coordonnées tranchent agréablement avec le
blanc des armoires, du dessus de comptoir et de l'évier.

Photo : courtoisie de Crossville Porcelain Stone

Photo : courtoisie de Fireclay Tile, Inc.

Photo : courtoisie de Ceramic Tiles of Italy

(En haut, au centre) Ce dosseret carrelé protège le mur au-dessus de l'évier, qui est constamment exposé à l'humidité à cause des robinets montés dans le mur. Les carreaux peints à la main conviennent parfaitement à ce décor rustique.

(En haut, à droite) Au-dessus des éviers, les dosserets carrelés protègent les murs contre l'humidité ; autour des cuisinières, ils les protègent contre les dépôts de graisse et de fumée.

(En bas, à droite) Les dosserets carrelés sont faciles d'entretien, ce qui constitue un précieux avantage dans les cuisines, où les éclaboussures de tout genre sont monnaie courante. Ici, la couleur des dessus de comptoirs se prolonge sur les murs ; le dosseret forme ainsi une bande colorée qui attire le regard.

Parmi les milliers de carreaux de dimensions et de styles différents vendus aujourd'hui dans le commerce, vous trouverez certainement ceux qui produiront l'effet que vous recherchez.

(Ci-dessus) Cette bordure et les carreaux décoratifs qu'elle entoure s'allient au dosseret pour donner un cachet ancien à cette cuisine familiale.

(À droite) Si vous aimez les bordures, vous en trouverez qui s'harmonisent avec chaque pièce de votre maison. Ce carrelage à motif de mûres est particulièrement approprié à une cuisine.

(Ci-dessus) Les carreaux en pierre polie ou en fausse pierre forment des arrière-plans sobres et neutres dans les maisons modernes. Ici, un éclairage ingénieux met les carreaux en valeur.

(À gauche) Le carrelage en pierre naturelle crée l'harmonie dans le décor d'une maison – le décor «jardin», par exemple – et le rapproche de la nature.

(En bas, à gauche) Cette combinaison osée de carreaux bleu vif et blancs répète les couleurs du carrelage à motif floral du plancher. Ensemble, ils forment un décor idéal pour les meubles de style scandinave de la pièce.

153

INSTALLATION D'UN CARRELAGE MURAL

Le carrelage est le revêtement mural idéal pour les cuisines et les salles de bains, mais rien n'interdit d'utiliser ce revêtement ailleurs dans la maison. Si cette pratique n'est pas encore entrée dans les mœurs, en Amérique du Nord, en Europe par contre, on utilise les carreaux dans la décoration de n'importe quelle pièce de la maison depuis des générations. Et pourquoi pas ? Beaux, pratiques, faciles à nettoyer et à entretenir, les murs carrelés conviennent à la plupart des pièces. Dans les pages précédentes, nous vous avons donné des idées d'agencement pour le carrelage des murs. À présent, il est temps de passer à l'acte.

Lorsque vous envisagez de carreler un mur, ne perdez pas de vue que les carreaux de 6 po × 6 po au moins sont plus faciles à installer que les plus petits carreaux : ils requièrent moins de coupes et couvrent une plus grande surface. De plus, ils présentent moins de joints de coulis à nettoyer et à entretenir. Examinez le choix de garnitures et de carreaux spéciaux susceptibles de personnaliser votre projet. (Consultez les p. 24 à 33 pour plus de renseignements sur le choix des carreaux.)

La plupart des carreaux pour mur sont conçus pour être séparés par d'étroits joints de coulis (de moins de 1/8 po de large) sans sable. Les joints de coulis de plus de 1/8 po de large doivent être remplis de coulis avec sable. Dans un cas comme dans l'autre, le coulis durera plus longtemps s'il contient un additif au latex. Pour protéger le coulis contre les taches, imperméabilisez-le lorsqu'il est complètement sec, et répétez l'opération chaque année par la suite.

Vous pouvez poser le carrelage sur des plaques de plâtre ordinaires ou des plaques résistant à l'humidité (appelées « panneaux verts ») si le mur se trouve dans un endroit sec. Dans les endroits humides, posez le carrelage sur des panneaux de ciment, faits de ciment et de fibre de verre, que l'eau n'endommage pas, même s'ils se laissent traverser par l'humidité. Protégez l'ossature en installant une membrane étanche, telle que du feutre-toiture ou du polyéthylène en feuilles, entre les éléments d'ossature et les panneaux de ciment. Veillez à tirer les joints des panneaux de ciment avant de poser le carrelage.

Aux p. 87 à 91, vous trouverez des renseignements sur la planification et l'agencement des murs carrelés.

TOUT CE DONT VOUS AVEZ BESOIN

- **OUTILS :** outils de carrelage, marqueur, mètre à ruban, niveau de 4 pi, truelle à encoches, maillet, aplanissoir à coulis, éponge, petit pinceau, pistolet à calfeutrer.

- **MATÉRIEL :** morceau droit de bois scié de 1 po x 2 po, mortier à prise rapide avec additif au latex, carreaux de céramique pour mur, garniture en céramique (le cas échéant), bois scié de 2 po x 4 po, morceau de moquette inutilisé, coulis avec additif au latex, pâte à calfeutrer les baignoires et les carreaux, imperméabilisant alcalin pour coulis, carton.

1. Choisissez un agencement et tracez les lignes de référence (voir p. 87 à 91). Commencez l'installation par la deuxième rangée au-dessus du plancher. Si l'agencement de cette rangée requiert la coupe de certains carreaux, tracez les lignes de coupe de tous les carreaux de la rangée en une fois.

2. Préparez une petite quantité de mortier à prise rapide contenant un additif au latex. (Certains mortiers contiennent déjà un additif mélangé par le fabricant, d'autres doivent être mélangés à l'additif par l'utilisateur.) Étalez l'adhésif sur l'envers du premier carreau à l'aide d'une truelle à encoches de $1/4$ po.

Variante : Étalez l'adhésif sur une petite section du mur, puis tracez des sillons dans l'adhésif. L'adhésif à prise rapide sèche rapidement ; vous devez donc travailler vite si vous utilisez cette méthode.

3. Commencez près du centre du mur et appliquez les carreaux contre le mur en leur imprimant une légère oscillation et en les alignant sur les lignes de référence verticale et horizontale. Si vous posez des carreaux coupés, arrangez-vous pour que les bords coupés soient le moins visibles possible.

Suite à la page suivante

4. Poursuivez l'installation des carreaux, en progressant du centre vers les côtés, suivant un schéma pyramidal. Gardez les carreaux alignés sur les lignes de référence. Si l'écart ne se forme pas automatiquement, placez des séparateurs dans les coins pour uniformiser la largeur des joints de coulis (mortaise). La base sera formée par la dernière rangée de carreaux entiers. Coupez des carreaux si nécessaire (voir p. 40 et 41).

5. Chaque fois que vous avez posé une petite section de carreaux, achevez la pose en plaçant sur cette section un morceau inutilisé de bois scié de 2 po × 4 po, enveloppé dans un morceau de moquette, tapotez-le légèrement avec un maillet. Ainsi, les carreaux adhéreront solidement au subjectile et le carrelage sera plat et uniforme.

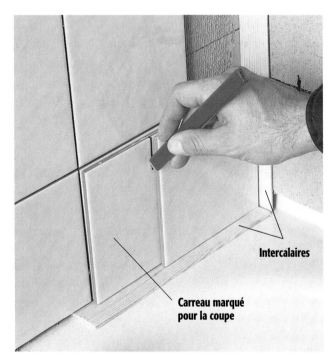

Intercalaires

Carreau marqué pour la coupe

6. Pour tracer des lignes de coupe droites sur les carreaux, commencez par placer des intercalaires de ⅛ po contre les surfaces, en dessous et sur le côté des carreaux. Placez un carreau directement sur le dernier carreau installé, puis placez un troisième carreau de manière que ses bords s'appuient contre les intercalaires. Tracez la ligne de coupe sur le deuxième carreau en suivant le bord du troisième carreau.

7. Installez les garnitures telles que les baguettes de bordure à bords arrondis montrées ici. Essuyez l'excédent de mortier le long des bords supérieurs de ces garnitures. Aux coins extérieurs, utilisez des carreaux à bord arrondi et des carreaux de coin (à deux bords adjacents arrondis) pour couvrir les bords bruts des carreaux adjacents.

8. *Laissez complètement sécher le mortier (de 12 à 24 heures), puis préparez du coulis contenant un additif au latex. Appliquez le coulis avec un aplanissoir à coulis en caoutchouc, en frottant les carreaux pour enfoncer profondément le coulis dans les joints. N'enfoncez pas de coulis dans les joints qui séparent les carreaux des baignoires, planchers, et coins des pièces. Ces joints doivent servir de joints de dilatation et vous les calfeutrerez plus tard.*

9. *Essuyez les carreaux en diagonale, à l'aide d'une éponge humide que vous rincerez dans l'eau froide après chaque passage. N'essuyez qu'une fois chaque endroit ; en l'essuyant davantage, vous feriez sortir le coulis du joint. Laissez sécher le coulis pendant 4 heures environ, puis polissez toute la surface avec un chiffon doux pour enlever la pellicule de coulis qui la recouvre encore.*

10. *Lorsque le coulis est complètement sec, utilisez un petit pinceau en mousse pour appliquer l'imperméabilisant à coulis sur les joints, en suivant les instructions du fabricant. Évitez de répandre de l'imperméabilisant sur les surfaces carrelées et essuyez immédiatement tout excédent du produit.*

11. *Calfeutrez les joints de dilatation le long du plancher et dans les coins avec de la pâte à calfeutrer à base de silicone. Lorsque la pâte est sèche, poncez les carreaux avec un chiffon doux et sec.*

1. *Commencez par le mur du fond, et faites une marque au-dessus de la baignoire, à une hauteur égale à la dimension d'un côté de carreau (si la baignoire n'est pas de niveau, faites cette marque au-dessus de l'endroit où le bord de la baignoire est le plus bas). En partant de ce point, tracez une ligne horizontale sur le mur du fond. Elle représente les joints de coulis d'une rangée de carreaux et elle servira de ligne de référence pour l'agencement du carrelage.*

2. *Marquez le milieu de la ligne de référence horizontale. À l'aide d'un bâton témoin, marquez l'emplacement des joints de coulis verticaux le long de la ligne de référence. Si le bâton témoin indique que la largeur des carreaux d'extrémité sera inférieure à un demi-carreau, déplacez le milieu d'un demi-carreau, dans un sens ou dans l'autre, et marquez cet endroit (voir l'étape suivante).*

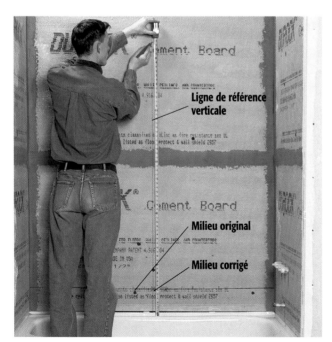

3. *À l'aide d'un niveau, tracez, du bord de la baignoire au plafond, la ligne de référence verticale passant par le milieu corrigé. Marquez, le long de cette ligne de référence verticale, la hauteur brute de la rangée de carreaux supérieure.*

4. *Utilisez le bâton témoin pour marquer l'emplacement des joints de coulis horizontaux le long de la ligne de référence verticale, en commençant à la marque de la rangée de carreaux supérieure. Si la hauteur des carreaux coupés le long du bord de la baignoire est inférieure à un demi-carreau, déplacez la rangée de carreaux supérieure d'un demi-carreau vers le haut. **Note :** si le carrelage va jusqu'au plafond, partagez également la largeur de carreau à couper entre le plafond et le bord de la baignoire, comme dans le cas des carreaux de coin.*

Ligne de référence horizontale corrigée

5. À l'aide d'un niveau, tracez la ligne de référence horizontale qui passe par la marque d'un joint de coulis proche du centre de l'ensemble. Cette ligne divisera la surface carrelée en quatre quadrants de travail.

6. À l'aide d'un niveau, reportez la ligne de référence horizontale corrigée du mur du fond sur les deux murs latéraux, puis suivez les étapes 3 à 6 pour préparer l'agencement des carreaux sur les murs latéraux. Corrigez l'agencement pour que les colonnes extrêmes de carreaux arrivent au ras du bord extérieur de la baignoire. Lors de l'installation du carrelage, n'utilisez que les lignes de référence horizontales et verticales corrigées.

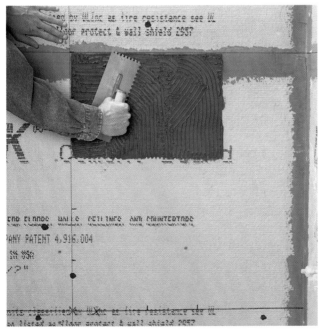

7. Préparez une petite quantité de coulis à prise rapide contenant un additif au latex. (Certains mortiers contiennent déjà un additif au latex, mélangé par le fabricant, d'autres n'en contiennent pas et il faut l'ajouter soi-même.) Étalez l'adhésif sur une petite section du mur, le long des deux côtés d'un quadrant, avec une truelle à encoches de $1/4$ po.

8. Utilisez la lame de la truelle pour créer des sillons dans le mortier. Posez le premier carreau dans le coin du quadrant, à l'intersection des lignes de référence, en lui imprimant une légère oscillation. Alignez-le exactement sur les lignes de référence. Dissimulez autant que possible les bords coupés des carreaux.

Suite à la page suivante

9. *Poursuivez l'installation des carreaux, en progressant du centre vers l'intérieur du quadrant. Alignez toujours les carreaux sur les lignes de référence et carrelez un quadrant à la fois. Si le réglage de la largeur des joints de coulis n'est pas automatique, placez des séparateurs au croisement des joints des carreaux (mortaise). Terminez par la rangée inférieure, qui longe le bord de la baignoire. Pour couper les carreaux des coins intérieurs, suivez les indications fournies à l'étape 6, p. 156.*

10. *Le long des bords, installez des carreaux de garniture tels que les carreaux à bords arrondis montrés ici. Essuyez l'excédent de mortier le long des bords supérieurs des carreaux de bordure.*

11. *Tracez les lignes de coupe des carreaux qui entourent la plomberie ou ses accessoires. Les techniques de coupe sont décrites aux p. 40 et 41.*

12. *Pour installer un accessoire en céramique, étalez du mortier à prise rapide sur l'envers de l'objet et pressez-le en place. Supportez-le avec du ruban-cache pendant que le mortier sèche (mortaise). Remplissez la baignoire d'eau, puis posez un cordon de pâte à calfeutrer à la silicone dans les joints de dilatation qui entourent la baignoire, le long du plancher et dans les coins (voir p. 157).*

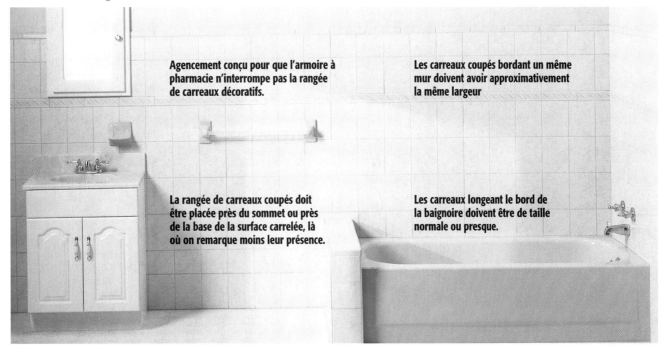

Agencement conçu pour que l'armoire à pharmacie n'interrompe pas la rangée de carreaux décoratifs.

Les carreaux coupés bordant un même mur doivent avoir approximativement la même largeur

La rangée de carreaux coupés doit être placée près du sommet ou près de la base de la surface carrelée, là où on remarque moins leur présence.

Les carreaux longeant le bord de la baignoire doivent être de taille normale ou presque.

Le carrelage d'une salle de bains complète exige une planification soignée. Le carrelage de la salle de bains montrée ici a été agencé de manière que les carreaux directement visibles au-dessus de la baignoire (la surface la plus visible) aient une hauteur presque normale. Pour atteindre ce résultat, on a dû placer les carreaux coupés dans la deuxième rangée à partir du plancher.

La deuxième rangée, courte, permet aussi de ne pas interrompre la rangée de carreaux décoratifs qui passe juste en dessous de l'armoire à pharmacie. Les carreaux coupés posés dans les deux coins doivent avoir approximativement la même largeur pour conserver la symétrie de la pièce.

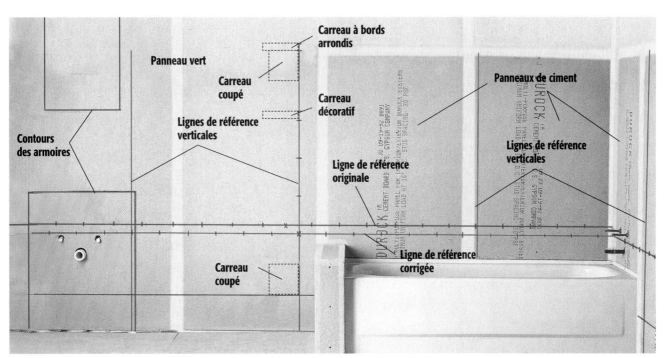

Carreau à bords arrondis

Panneau vert

Carreau coupé

Carreau décoratif

Lignes de référence verticales

Panneaux de ciment

Contours des armoires

Lignes de référence verticales

Ligne de référence originale

Ligne de référence corrigée

Carreau coupé

La conception ingénieuse de l'agencement est la clé de la réussite du carrelage mural. Marquez l'emplacement des armoires et accessoires sur le mur, puis trouvez la ligne horizontale principale, c'est-à-dire celle qui est la plus visible dans la salle de bains : c'est généralement le bord supérieur de la baignoire. Décidez de l'agencement des carreaux en suivant les indications données aux p. 87 à 91, et en utilisant un bâton témoin. Vous découvrirez ainsi comment se présentera le carrelage par

rapport aux autres objets de la pièce. Après avoir tracé les lignes d'installation, tracez des lignes de référence verticales additionnelles tous les 5 ou 6 carreaux, le long de la ligne de référence horizontale corrigée, afin de diviser les grands murs en petits quadrants de travail avant l'installation proprement dite. *Note :* les adhésifs de mastic au latex prémélangés sont généralement acceptables pour la pose de carreaux sur des murs se trouvant dans un endroit sec.

CARRELAGE D'UN TOUR DE CHEMINÉE

Le carrelage permet de donner à un foyer à feu ouvert le style de son choix, qu'on le décore avec de simples carreaux de céramique, d'élégantes pierres de taille ou des carreaux artistiques, faits à la main. On peut utiliser à peu près n'importe quel carreau, pourvu qu'il résiste à des variations significatives de température.

Dans le projet décrit ici, on recouvre un mur en plaques de plâtre non fini, mais il est possible de carreler n'importe quelle surface verticale non brillante. Si vous devez poser des carreaux sur un fond déjà carrelé ou sur des briques, meulez la surface du revêtement avant d'y appliquer une mince couche de mortier à prise rapide renforcé au latex, qui éliminera toutes les irrégularités de surface. Pour rendre les surfaces peintes plus rugueuses avant de les carreler, poncez-les légèrement.

Dans notre exemple, les carreaux arrivent au ras de la face avant du foyer, qui les supporte pendant la pose. Si ce n'est pas le cas, on peut toujours fixer temporairement un tasseau qui remplira le même rôle. (Il faut alors s'assurer que le tasseau est de niveau).

On peut finir le bord du carrelage en installant, comme ici, une moulure en bois du genre cimaise, des carreaux à bords arrondis ou d'autres carreaux de garniture.

Tasseau de la tablette du manteau

1. Pour installer la tablette du manteau, faites un trait pour marquer la hauteur du tasseau, mesurée à partir du plancher. De ce trait, à l'aide d'un niveau, tirez une ligne horizontale au-dessus de laquelle vous indiquerez l'emplacement des poteaux muraux. Placez le tasseau sur la ligne, centrez-le par rapport aux côtés du foyer et forez un avant-trou à l'emplacement de chaque poteau. Fixez le tasseau aux poteaux en utilisant les vis fournies par le fabricant.

TOUT CE DONT VOUS AVEZ BESOIN

- **Outils :** niveau, perceuse, marteau, chasse-clou, truelle à encoches en V, aplanissoir (ou taloche) à coulis.

- **Matériel :** bois scié de 2 po × 4 po, tablette de manteau, carreaux, séparateurs de carreaux, mortier à prise rapide renforcé au latex, ruban-cache, coulis, cimaise, clous de finition 6d et 4d, pâte de bois.

2. Peignez les parties des plaques de plâtre qui ne seront pas carrelées. Appliquez à la tablette le fini de votre choix, installez-la sur le tasseau et centrez-la. À environ ³/₄ po du bord arrière du tasseau, forez des avant-trous pour des clous de finition 6d. Fixez la tablette au tasseau avec quatre clous. Achevez d'enfoncer les clous avec un chasse-clou, remplissez les trous de pâte de bois et retouchez le fini de la tablette.

3. Posez à sec les carreaux autour du foyer. Vous pouvez poser des carreaux sur la face métallique noire du foyer, mais ne couvrez ni les parties vitrées ni les grilles. Si vous posez des carreaux sans brides d'écartement, utilisez des séparateurs, pour obtenir l'écart désiré entre les carreaux (il doit être de ¹/₈ po minimum dans le cas où vous installez des carreaux pour plancher). Tracez le pourtour de la surface carrelée et indiquez toute autre mesure susceptible de vous aider lors de la pose. Coupez autant que possible les carreaux à l'avance.

4. Entourez les carreaux de ruban-cache, puis utilisez une truelle à encoches en V pour étendre uniformément de l'adhésif au latex sur le mur, à l'intérieur du périmètre tracé. Posez les carreaux dans l'adhésif en les alignant sur les marques d'installation, et appuyez fermement dessus pour qu'ils adhèrent bien au mastic. Installez des séparateurs au fur et à mesure et grattez tout l'excédent d'adhésif qui sort des joints de coulis. Installez tous les carreaux et laissez sécher complètement l'adhésif.

5. Préparez la quantité nécessaire de coulis et étendez celui-ci sur les carreaux avec un aplanissoir à coulis en caoutchouc. Frottez les joints en diagonale, en inclinant l'aplanissoir à 45°. Faites une deuxième passe pour enlever l'excédent de coulis. Attendez 10 à 15 minutes, puis frottez l'excédent de coulis avec une éponge humide que vous rincez souvent. Laissez sécher le coulis pendant une heure, puis polissez les carreaux avec un chiffon sec. Laissez sécher complètement le coulis.

6. Coupez les morceaux de moulure aux longueurs voulues et biseautez-les. Si les carreaux sont plus épais que la partie en retrait de la moulure, installez une baguette d'épaisseur sous chaque morceau de moulure, en utilisant des clous de finition. Appliquez à la moulure le même fini qu'à la tablette du manteau. Forez des avant-trous et clouez la moulure en place avec des clous de finition 4d. Achevez d'enfoncer les clous avec un chasse-clou. Remplissez les trous de pâte de bois et retouchez le fini de la moulure.

Photo : courtoisie de Daltile

CARRELAGE D'UN DOSSERET DE CUISINE

Dans une maison, peu d'endroits offrent autant de possibilités de créer des motifs décoratifs étonnants que la bande de 18 po de haut qui sépare le dessus du comptoir des armoires de la cuisine. Un dosseret bien choisi peut faire d'une cuisine ordinaire une pièce extraordinaire.

On peut fixer les carreaux du dosseret directement aux plaques de plâtre ou au plâtre, sans utiliser de subjectile. Lorsque vous achetez les carreaux, augmentez de 10 % la quantité calculée, en prévision des bris et des coupes à effectuer. Préparez l'endroit en enlevant les plaques des interrupteurs et des prises de courant et protégez le dessus du comptoir contre les rayures en le couvrant d'une toile de peintre.

TOUT CE DONT VOUS AVEZ BESOIN

• **OUTILS :** niveau, mètre à ruban, crayon, coupe-carreaux, scie au carbure, truelle à encoches, aplanissoir à coulis en caoutchouc, bloc de tassement, maillet en caoutchouc, éponge, seau.

• **MATÉRIEL :** bâton droit de 1 po × 2 po, carreaux pour mur, séparateurs de carreaux (si nécessaire), carreaux à bords arrondis, mastic adhésif pour carreaux, ruban-cache, coulis, pâte à calfeutrer, toile de peintre, imperméabilisant pour coulis.

Conseils sur la planification de l'agencement des carreaux

Les brochures traitant de la planification du travail et les manuels de conception vous aideront à créer des motifs et des bordures pour le dosseret.

Photo : courtoisie de Hi-Ho Industries, Inc.

Brisez des carreaux et utilisez les fragments obtenus pour créer un dosseret mosaïqué. Utilisez toujours un coulis avec sable lorsque les joints ont plus de ⅛ po de large.

Photo : courtoisie de Fireclay Tile, Inc.

Ajoutez des carreaux muraux peints, si vous voulez ajouter un motif central. En mélangeant différents styles, vous créerez un contraste intéressant.

1. Sur un bâton témoin, de longueur au moins égale à la moitié de celle du dosseret, tracez les lignes marquant les joints des carreaux.

2. À partir du milieu de la surface à carreler, marquez l'emplacement des joints de coulis le long du mur, en utilisant le bâton témoin. Si un carreau d'extrémité est trop étroit (moins de la moitié de sa largeur normale), déplacez le milieu pour corriger la situation. Utilisez un niveau et tracez à cet endroit une ligne verticale.

3. En dépit de l'apparence, le dessus de comptoir n'est peut-être pas parfaitement de niveau, auquel cas il ne constitue pas une ligne de référence fiable. Déplacez un niveau le long du comptoir pour en déterminer le point le plus bas. À cet endroit, faites une marque à une hauteur de deux carreaux du comptoir. Tracez la ligne horizontale passant par cette marque et traversant toute la surface à carreler.

Suite à la page suivante

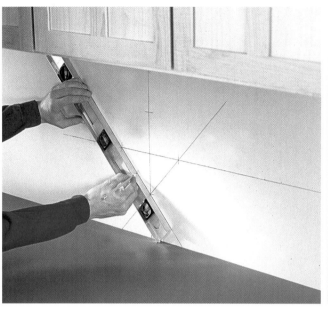

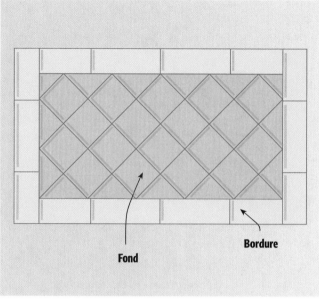

Fond

Bordure

Variante : agencement en diagonale. *Tracez les lignes de référence horizontale et verticale, en vous assurant qu'elles sont perpendiculaires. Pour tracer les lignes d'agencement en diagonale, faites des marques, sur les lignes tracées, à égale distance de leur point d'intersection et joignez les points obtenus. Vous pouvez, si nécessaire, tracer d'autres lignes d'installation parallèles à ces lignes d'agencement en diagonale. Pour éviter les nombreuses coupes périmétriques occasionnées par l'agencement en diagonale, utilisez le modèle de bordure de l'illustration. Posez en diagonale un fond constitué seulement de carreaux entiers, puis coupez suffisamment de demi-carreaux pour remplir le pourtour. Terminez en entourant le fond en diagonale de carreaux placés d'équerre par rapport à ce fond.*

4. *À l'aide d'une truelle à encoches, appliquez une couche uniforme de mastic adhésif sur la surface située en dessous de la ligne de référence horizontale, en formant des sillons horizontaux.*

5. *À partir de la ligne de référence verticale, enfoncez les carreaux dans l'adhésif, en les faisant légèrement osciller. Si les carreaux ne sont pas munis de brides d'écartement, utilisez des séparateurs pour que les joints de coulis aient une largeur constante. Si les carreaux ne tiennent pas en place, supportez-les avec du ruban-cache jusqu'à ce que l'adhésif durcisse.*

6. *Installez une rangée complète de carreaux le long de la ligne de référence, en vérifiant régulièrement si les carreaux sont de niveau. Poursuivez la pose en dessous de la première rangée, en coupant, le cas échéant, les carreaux qui arrivent contre le dessus du comptoir.*

166

7. Appliquez une couche d'adhésif au-dessus de la ligne de référence et continuez de poser les carreaux, en progressant du centre vers les côtés. À l'extrémité des rangées, posez des carreaux de garniture, comme des carreaux à bords arrondis.

8. Lorsque les carreaux sont posés, vérifiez si leur surface est plane et s'ils sont bien enfoncés, en appuyant un bloc de tassement sur la surface et en le frappant légèrement avec un maillet en caoutchouc. Enlevez les séparateurs et laissez sécher le mastic pendant 24 heures ou conformément aux instructions du fabricant.

9. Préparez du coulis et étendez-le avec un aplanissoir en caoutchouc sur les carreaux en maintenant l'aplanissoir incliné à 30° et enfoncez le coulis dans les joints. **Note :** si les joints ont une largeur de $\frac{1}{8}$ po ou moins, utilisez du coulis sans sable.

10. Enlevez l'excédent de coulis en tenant l'aplanissoir perpendiculairement à la surface et en le déplaçant diagonalement pour ne pas faire sortir le coulis des joints. Utilisez une éponge humide et, dans un mouvement circulaire, enlever le coulis restant à la surface des carreaux. Rincez souvent l'éponge.

11. Finissez les joints de coulis en passant l'éponge lentement, par petits coups, pour enlever le coulis qui sort des joints ; rincez fréquemment l'éponge. Remplissez d'un peu de coulis les vides éventuels. Attendez que le coulis soit suffisamment sec pour commencer à se décolorer, puis nettoyez les carreaux avec un chiffon doux. Posez un cordon de pâte à calfeutrer entre le dessus du comptoir et les carreaux. Replacez les accessoires électriques et, lorsque le coulis est complètement sec, appliquez un imperméabilisant qui l'empêchera de se décolorer.

Photo : courtoisie de Daltile

PROJETS DE COMPTOIRS

169

(Ci-dessus) Pour décorer ce dessus de comptoir, on a fait un autre usage des bandes de couleurs. Une bordure foncée entoure le comptoir et le lavabo, le dosseret et le miroir. La bordure contient des carreaux de différentes couleurs et textures, mais ceux-ci ont suffisamment de points en commun pour former un ensemble qui tranche avec le blanc du comptoir, du lavabo et de la coiffeuse.

Des détails simples tels que des bandes de couleurs ou de texture différentes attirent l'attention sur les dessus de comptoirs.

(Ci-dessus) La bande bleue ininterrompue de carreaux de bordure en V fait la transition entre les bords de ce dessus de comptoir bleu et blanc et la partie inférieure du mur. Le même bleu se retrouve autour de la baignoire et du miroir.

(Page précédente) Les carreaux à motifs géométriques attirent le regard sur ce dosseret et ce dessus de comptoir faits de carreaux de porcelaine.

(Ci-dessus) Le motif en relief de la bordure de ce dessus de comptoir s'harmonise avec le motif en coquille, fouillé, du mur sans pour autant focaliser l'attention.

Photo : courtoisie de Crossville Porcelain Stone

Bordures unies ou de fantaisie ? On n'a que l'embarras du choix dans les bordures de décoration, lors de la planification des projets de dessus de comptoirs et il faut prêter toute l'attention voulue à cet accessoire.

(Ci-dessus) La bordure décorative de ce comptoir répète la bordure qui souligne la base du dosseret. Cet artifice en trompe-l'œil du dosseret donne l'impression, sous certains angles, qu'il fait partie de la bordure.

(À droite) La bordure en V protège les bords de ce dessus de comptoir, et sa couleur se mêle harmonieusement à celle de la moulure et des armoires simples fabriquées dans le même bois.

172

Chacun de ces comptoirs de cuisine reprend une couleur ou un motif de la pièce où il se trouve.

(Page précédente, en haut) Ici, le ton est blanc sur blanc, ce qui donne un fond clair et pur, que l'on pourra décorer de multiples façons au fil du temps. La texture des carreaux muraux et le profil de la bordure en V du comptoir sauvent la pièce, quelque peu austère, de la monotonie engendrée par le manque de couleurs.

(Page précédente, en bas) Les bordures d'un vert profond des dosserets et des dessus de comptoirs reprennent la couleur des chaises et autres accessoires de cette spacieuse cuisine.

(Ci-dessus) Le dessus de comptoir de cet îlot de cuisine répète les motifs des bordures de papier peint du soffite et de l'intérieur du plafond-cave.

CONSTRUCTION D'UN DESSUS DE COMPTOIR CARRELÉ

Le carreau de céramique est un matériau populaire pour les dessus de comptoirs et les dosserets, et ce, pour quelques bonnes raisons. Il en existe de toutes les dimensions, de tous les styles et de toutes les couleurs ; leur durabilité est excellente et on peut les réparer ; en outre, leur prix est généralement raisonnable. En planifiant bien le travail, on peut les installer facilement, et la construction sur mesure d'un dessus de comptoir, en carreaux de céramique, constitue un projet emballant pour le bricoleur.

Le carreau de céramique émaillée est le revêtement le plus approprié pour la plupart des dessus de comptoirs. Sa résistance aux taches est meilleure que celle du carreau non émaillé, et le carreau de plancher convient mieux que le carreau mural, car il est souvent fabriqué en vue d'un usage résidentiel et commercial léger, c'est-à-dire qu'il possède une dureté nominale de classe 3 ou supérieure. Le carreau de porcelaine, très solide et durable, convient également aux dessus de comptoirs, mais il coûte généralement beaucoup plus cher que le carreau de céramique.

L'émaillage protège le carreau contre les taches, mais le coulis qui garnit les joints des carreaux est fragile, car il est très poreux. Pour éviter qu'il ne se tache, utilisez un coulis contenant un additif à base de latex, ou mélangez la poudre de coulis avec un additif liquide au latex plutôt qu'avec

de l'eau. Lorsque le coulis posé est complètement sec, appliquez une couche de bonne peinture d'impression pour coulis (qui peut entrer en contact avec les aliments) et recommencez cette opération tous les ans.

Dans ce projet-ci, le corps du dessus de comptoir est constitué de contreplaqué pour l'extérieur de $^3/_4$ po ; il est coupé et fixé aux armoires. (Le contreplaqué traité, le panneau de particules et le panneau OSB ne sont pas de bons subjectiles dans ce cas-ci.) Le contreplaqué est recouvert d'une couche de plastique (qui sert de barrière d'étanchéité) et d'une couche de panneau

de ciment de $^1/_2$ po, qui constitue un excellent support pour les carreaux, car il ne risque pas de se rompre si de l'eau traverse la couche de carreaux. Les carreaux sont collés au panneau de ciment au moyen d'un adhésif à prise rapide qui résiste également au contact prolongé avec l'eau. L'épaisseur totale du comptoir fini est de 1 $^1/_2$ po environ. Si vous désirez un dessus de comptoir plus épais, rajoutez une couche de contreplaqué (de l'épaisseur de votre choix) au corps du comptoir.

Lorsque vous disposez les carreaux sur le dessus de comptoir, tenez compte de l'emplacement d'éléments tels que l'évier ou la surface de cuisson. Il faut soigner particulièrement les endroits où les carreaux rencontrent des accessoires, ainsi que les bords des comptoirs. Si vous installez un évier dont le pourtour affleure les carreaux, assurez-vous que l'épaisseur des carreaux correspond à celle du bord de l'évier, pour que la transition se fasse en douceur.

Photo : courtoisie de Crossville Porcelain Stone

TOUT CE DONT VOUS AVEZ BESOIN

- **Outils :** mètre à ruban, scie circulaire, perceuse, couteau universel, règle rectifiée, agrafeuse, couteau à plaques de plâtre, équerre de charpentier, truelle dentelée, coupe-carreaux, morceau de 2 po x 4 po enveloppé de moquette, maillet, aplanissoir en caoutchouc pour coulis, éponge, pinceau en mousse, pistolet à calfeutrer.

- **Matériel :** carreaux de céramique, séparateurs de carreaux, contreplaqué de $^3/_4$ po pour l'extérieur (CDX), feuille de polyéthylène de 4 mil, ruban adhésif d'emballage, panneaux de ciment de $^1/_2$ po, vis galvanisées de 1 $^1/_4$ po, ruban maillé en fibre de verre pour plaques de plâtre, mortier à prise rapide, coulis avec additif au latex, pâte à calfeutrer, imperméabilisant pour coulis à base de silicone.

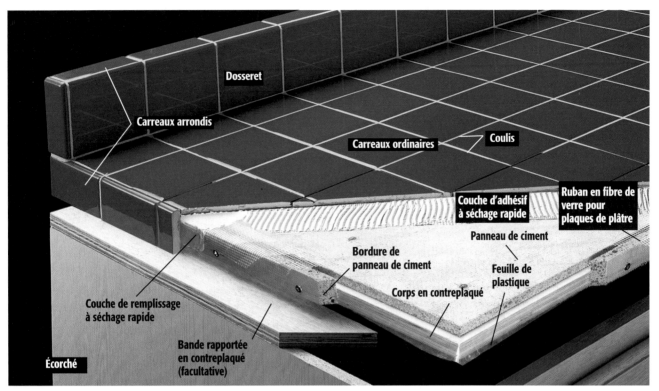

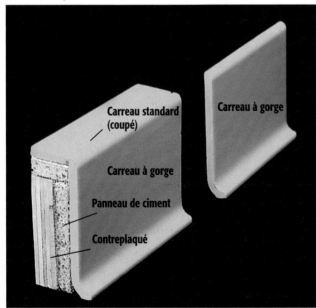

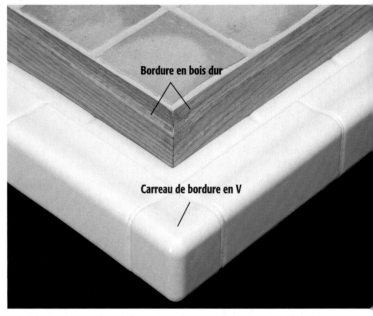

Pour construire un dessus de comptoir en carreaux de céramique, on commence par fabriquer un corps en contreplaqué de ³/₄ po pour l'extérieur, que l'on recouvre d'une membrane imperméable, constituée d'une feuille de polyéthylène de 4 mil. On pose un panneau de ciment de ¹/₂ po sur le contreplaqué et on recouvre les bords de bandes de panneau de ciment que l'on finit au moyen de ruban de fibre de verre maillée et de mortier à prise rapide. Les carreaux de la bordure et du dosseret peuvent être des carreaux arrondis ou des carreaux d'un autre style (voir ci-dessous).

Solutions pour les dosserets et les bords des dessus de comptoirs

On peut construire les dosserets en collant des carreaux à gorge (à droite) au mur, à l'arrière du dessus de comptoir. On peut n'utiliser que des carreaux ou, si l'on construit un dosseret de type banquette (à gauche), on peut utiliser le même principe de construction que pour le dessus de comptoir. Attachez le dosseret en contreplaqué au corps en contreplaqué du dessus de comptoir. Entourez de panneau de ciment le devant et les bords du dosseret en contreplaqué, puis installez les carreaux.

Parmi les bordures envisageables, on trouve le carreau de bordure en V et la bande de bois dur. Les carreaux de bordure en V ont des coins arrondis, et un bord relevé qui crée un renflement tout autour du dessus de comptoir, empêchant les déversements et l'eau de s'écouler par terre. Il faut couper les carreaux en V à l'aide d'une scie à carreaux, et donner aux bandes de bois dur un traitement de préfinition en leur appliquant au moins trois couches de polyuréthane. Attachez les bandes au corps en contreplaqué, de manière que le bord supérieur du bois affleure la surface des carreaux.

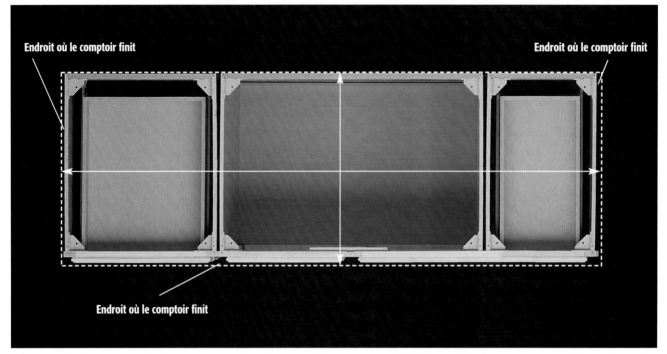

Endroit où le comptoir finit

Endroit où le comptoir finit

Endroit où le comptoir finit

1. *Déterminez la dimension que doit avoir le corps en contreplaqué, en mesurant la profondeur des armoires. Le comptoir fini doit dépasser les devants de tiroirs d'au moins ¼ po. Assurez-vous de prendre en compte l'épaisseur conjuguée du panneau de ciment, de l'adhésif et des carreaux lorsque vous décidez de la largeur à donner*

au dépassant. À l'aide d'une scie circulaire, coupez le corps du dessus de comptoir à la dimension voulue, dans du contreplaqué de ¾ po. Faites également les découpes nécessaires à la pose des éviers et autres accessoires (p. 193).

Support de coin

2. *Placez le corps du comptoir sur les armoires et fixez-le au moyen de vis enfoncées à travers les supports de coin des armoires. Les vis doivent être assez courtes pour ne pas percer la surface supérieure du corps en contreplaqué.*

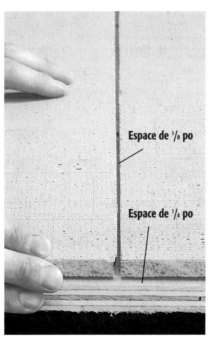

Espace de ⅛ po

Espace de ¼ po

3. *Coupez les morceaux de panneaux de ciment, puis essayez-les en plaçant le côté rugueux vers le haut et en les posant contre le corps en contreplaqué. Laissez un espace de ⅛ po entre chaque panneau de ciment, et de ¼ po le long du périmètre.*

Conseil : *coupez le panneau de ciment à l'aide d'une règle rectifiée et d'un couteau universel, ou d'un couteau à panneau de ciment muni d'une pointe de carbure. Tenez la règle rectifiée le long de la ligne de coupe et incisez plusieurs fois le panneau au moyen du couteau. Pliez le morceau vers l'arrière pour le casser le long de l'entaille. Achevez de le couper par l'arrière.*

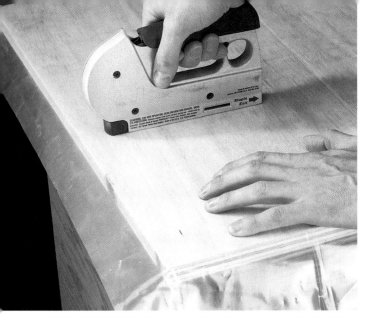

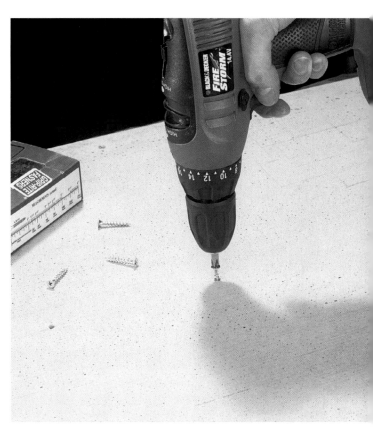

4. Posez la feuille de plastique imperméable sur le corps en contreplaqué, en la laissant pendre le long des bords. Agrafez-la à quelques endroits. Faites chevaucher les joints sur 6 po et scellez-les au moyen de ruban adhésif d'emballage.

5. Placez les morceaux de panneau de ciment, côté rugueux vers le haut, sur le contreplaqué, et fixez-les au moyen de vis à panneaux de ciment, enfoncées tous les 6 po. Forez des avant-trous dans le panneau de ciment, à l'aide d'une mèche de maçonnerie. Assurez-vous que toutes les têtes de vis affleurent la surface. Entourez les bords du dessus de comptoir de bandes de panneau de ciment de 1 $\frac{1}{4}$ po de large et vissez-les au corps du comptoir avec des vis à panneaux de ciment.

6. Recouvrez de ruban en fibre de verre maillée pour plaques de plâtre tous les joints de panneau de ciment. Appliquez-en trois couches le long du bord avant, là où les panneaux de ciment rencontrent les bordures de panneau de ciment.

7. Remplissez les espaces vides et recouvrez tout le ruban d'une couche de mortier à prise rapide. À l'aide d'un couteau à plaques de plâtre, égalisez le mortier jusqu'à obtention d'une surface lisse et plane.

Suite à la page suivante

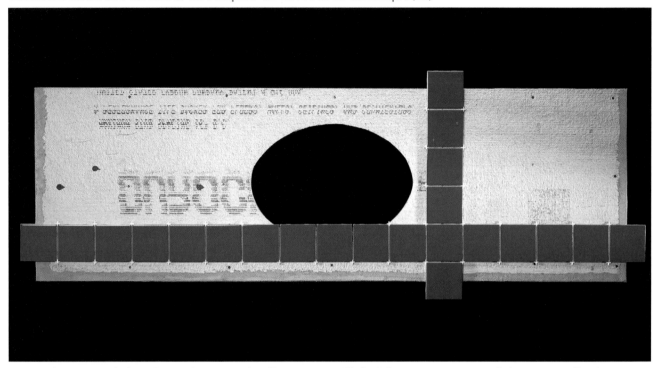

8. *Essayez les carreaux sur le dessus de comptoir pour trouver le meilleur agencement. Si les bords des carreaux ne sont pas munis de séparateurs, utilisez des séparateurs en plastique pour ménager l'espace nécessaire aux joints de coulis. Une fois l'agencement fixé, faites des marques le long des rangées horizontale et verticale. En utilisant une équerre de charpentier tracez les lignes de référence qui passent par les marques, de manière qu'elles soient bien perpendiculaires.*

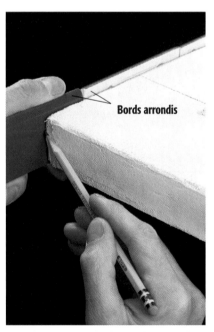

Bords arrondis

9. *Installez les carreaux de bordure en appliquant, avec une truelle dentelée, une couche de mortier à prise rapide sur l'envers de chaque carreau et sur les bords du dessus de comptoir. Posez les carreaux dans le mortier en les faisant légèrement osciller. Ajoutez des séparateurs en plastique, si nécessaire. En vous servant de carreaux que vous placez sur le dessus de comptoir, déterminez la hauteur que doivent atteindre les carreaux de bordure.*

10. *Utilisez un carreau de coin arrondi (après avoir installé les carreaux arrondis adjacents) dans chacun des coins du dessus de comptoir. Placez un carreau propre, le côté émaillé contre le bord du comptoir, marquez-le à l'endroit du coin et coupez-le pour que le bord arrondi arrive jusqu'au coin. Installez le morceau de carreau à l'aide de mortier à prise rapide.*

11. *Après avoir laissé sécher le mortier des carreaux de bordure, installez les carreaux ordinaires sur la surface horizontale. Étalez une couche de mortier à prise rapide sur le panneau de ciment, le long des lignes de référence, et installez deux rangées de carreaux perpendiculaires. Assurez-vous que l'espacement des carreaux est correct et utilisez une équerre de charpentier pour vérifier de temps en temps la perpendicularité des rangées.*

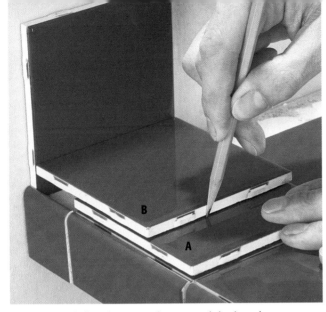

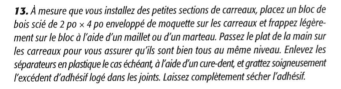

12. Pour tracer la ligne de coupe sur les carreaux de bordure, placez un carreau contre le mur du fond en laissant la place nécessaire pour les carreaux du dosseret ou le mortier. Placez un autre carreau (A) sur le dernier carreau entier ordinaire et placez ensuite un troisième carreau (B) sur le carreau A en l'appuyant contre le carreau du fond. Tracez la ligne de coupe sur le carreau A, coupez-le et installez-le, la tranche coupée vers le mur.

13. À mesure que vous installez des petites sections de carreaux, placez un bloc de bois scié de 2 po × 4 po enveloppé de moquette sur les carreaux et frappez légèrement sur le bloc à l'aide d'un maillet ou d'un marteau. Passez le plat de la main sur les carreaux pour vous assurer qu'ils sont bien tous au même niveau. Enlevez les séparateurs en plastique le cas échéant, à l'aide d'un cure-dent, et grattez soigneusement l'excédent d'adhésif logé dans les joints. Laissez complètement sécher l'adhésif.

14. Mélangez un lot de coulis avec de l'additif au latex et remplissez-en les joints, à l'aide d'un aplanissoir en caoutchouc, dans un mouvement de balayage. Essuyez l'excédent de coulis avec une éponge humide. Attendez une heure et essuyez la poudre qui reste sur les carreaux. Laissez complètement sécher le coulis.

15. Scellez le bord du dosseret et les espaces entourant les pénétrations en déposant un mince cordon de pâte à calfeutrer à base de silicone. Lissez le cordon en passant un doigt humide sur la surface. Lorsque le coulis est complètement sec, recouvrez-le d'un produit de scellement à base de silicone, à l'aide d'un pinceau en mousse. Laissez sécher le produit et appliquez-en une seconde couche.

PROJETS DÉCORATIFS

Les carreaux – seuls ou combinés avec d'autres matériaux – donnent du style et de la couleur aux objets ordinaires.

(Ci-dessus, à gauche) L'accoudoir de ce banc de jardin en béton contient une mosaïque faite de fragments de carreaux, qui combine les couleurs de l'eau et du soleil.

(Ci-dessus, à droite) On a posé artistiquement de petits abacules dans des cercles concentriques de pierres et de tessons, idée que l'on peut aussi bien adapter à un pas japonais qu'à un patio ou à un dessus de table ; il suffit de laisser courir son imagination.

(À droite) Les carreaux forment de parfaits dessous-de-vase : l'humidité qui altère les finis ne risque pas de pénétrer ces jolies mosaïques d'abacules de verre.

(Page suivante) On pourrait croire que l'encadrement de cette entrée a demandé beaucoup plus de travail que la plupart des ouvrages d'art, mais il n'en est rien : il a suffi de poser une rangée de carreaux autour de l'entrée et de finir les bords avec une garniture en bois. Remarquable !

(Ci-dessus) Ce socle en plâtre est décoré de carreaux entiers ou de fragments de carreaux. Pour peindre les volutes, on a utilisé du coulis avec sable, dilué à l'eau.

Même les objets les plus banals deviennent des objets d'art lorsqu'on les décore avec des carreaux.

(Ci-dessus) Normalement, les contremarches des escaliers sont pratiquement invisibles. Celles-ci, revêtues de carreaux colorés peints à la main, sont tout sauf ordinaires et, en tout cas, elles sont bien visibles.

(Page précédente) Les carreaux artistiques font de ce banc une pièce unique. Il est très facile d'ajouter des carreaux à un banc existant et même de construire le banc au complet (voir p. 232).

(Ci-dessus) Une mosaïque faite de fragments de carreaux transforme cette petite table en pièce de collection. On peut poser les carreaux sur un dessus de table existant ou sur un subjectile découpé dans du contreplaqué.

Qu'ils soient entiers, fragmentés, carrés, rectangulaires ou ronds, les carreaux apportent de la couleur et de la vie à vos ouvrages destinés à la maison ou au jardin.

(À droite) Ce dessus de table est fait d'une seule pièce décorée à la main.

(À l'extrême droite) Cette cuvette en terre cuite recouverte d'abacules met en valeur quelques fleurs du jardin. Elle peut également servir de bain d'oiseaux ou de support à des chandelles flottantes.

Photo : courtoisie de Ceramic Tiles of Italy

(Ci-dessus) On peut retirer des abacules de leur support maillé et les utiliser pour décorer des pots et des jardinières, avec ou sans fragments de carreaux.

(Page suivante) Ce charmant objet d'art était à l'origine un vase en verre, bon marché. Pour coller des fragments de carreaux sur ce genre de pièces il est plus facile d'utiliser de la colle chaude ou de la pâte à calfeutrer à la silicone que les traditionnels adhésifs pour carreaux.

CRÉATION DE JARDINIÈRES DÉCORATIVES

Les étapes à suivre pour orner de carreaux une jardinière sont sensiblement les mêmes que celles qu'on suit pour poser des carreaux sur n'importe quelle autre surface : planification de l'agencement, pose et application du coulis. Lorsqu'on donne libre cours à son imagination, on laisse jaillir son enthousiasme et sa créativité.

Ne vous limitez pas aux carreaux, mêlez ceux-ci à d'autres matériaux tels que des galets de verre ou des fragments de verre teinté,

de miroir et de porcelaine. Vous pouvez, à votre gré, créer des motifs simples ou compliqués.

Ainsi, vous pouvez créer une jolie mosaïque en utilisant des morceaux de verre teinté blanc pour les pétales, des galets de verre dorés pour les centres et des fragments de carreaux pour l'arrière-plan. Ou vous préférerez peut-être utiliser des fragments de carreaux verts pour représenter une vigne et la garnir de galets de verre violets disposés en grappes. Ajoutez un arrière-plan fait de fragments de porcelaine ou de fragments de verre teinté et vous serez stupéfait du résultat obtenu en peu de temps.

Choisissez des récipients ayant un bord lisse, comme la jardinière blanche de l'illustration ci-dessus, ou des contenants qui présentent une grande surface lisse comme le pot faisant l'objet du projet décrit à la p. 191. Tâchez d'harmoniser le style et les couleurs des jardinières.

TOUT CE DONT VOUS AVEZ BESOIN

- **OUTILS :** coupe-carreaux, pince coupante, couteau à mastiquer, aplanissoir à coulis, éponge à coulis.

- **MATÉRIEL :** abacules de 1 po, mastic pour carreaux, coulis, imperméabilisant pour coulis.

190

1. Enlevez les abacules de leur support maillé et essayez différents motifs et agencements. Si nécessaire, coupez les abacules en deux à l'aide d'un coupe-carreaux. Utilisez une pince coupante si vous devez casser des carreaux en petits morceaux.

2. Tracez, autour de la jardinière, une bordure dont la largeur, irrégulière, varie entre 1 ½ po et 2 po. À l'aide d'un couteau à mastiquer, étendez du mastic sur la surface située à l'intérieur de la bordure. Posez alternativement abacules et demi-abacules autour de la jardinière.

3. Remplissez le reste de la surface située à l'intérieur de la bordure avec des fragments de carreaux. Laissez sécher le mastic conformément aux instructions du fabricant. Posez le coulis entre les carreaux (voir p. 167 les renseignements sur la pose du coulis entre les carreaux). Si vous comptez placer la jardinière à l'extérieur, appliquez un imperméabilisant sur le coulis lorsque celui-ci est complètement sec.

FABRICATION D'UN LAVE-MAINS CARRELÉ

Le choix d'un châssis de machine à coudre à pédale, celui du lavabo original, et le travail de la tablette carrelée à la main, concourent à la réussite de cet objet unique. Nous avons utilisé des carreaux et un lavabo fabriqués par Kerry Brooks of Dock 6 Pottery, à Minneapolis (Minnesota) (voir Ressources, p. 246, pour d'autres renseignements sur ce fournisseur). On peut concevoir d'autres versions de lave-mains carrelés en se procurant des carreaux et des lavabos vendus dans le commerce.

Il n'est d'ailleurs pas nécessaire d'utiliser un châssis de machine à coudre comme socle ; un grand nombre de pièces anciennes peuvent faire l'affaire. Cependant ne détruisez pas une pièce de valeur, essayez plutôt de trouver un socle sans tablette ou un coffre dont le dessus est abîmé. Vous devrez de toute manière enlever le dessus pour installer une tablette en contreplaqué et un panneau de ciment résistant aux inévitables éclaboussures causées par les lavabos.

Après avoir trouvé un socle, choisissez un lavabo rond et des robinets spécialement conçus à cet effet, qui se montent dans le mur ou sur le comptoir. S'ils s'installent dans le mur, prévoyez un dosseret ; s'ils s'installent sur le comptoir, faites les découpes nécessaires. Dans ce dernier cas – comme pour le lave-mains décrit ici – vous préférerez peut-être prévoir un dosseret malgré tout (voir p. 177).

Si vous n'aimez pas que l'on voie le contreplaqué brut de la face inférieure de la tablette, peignez cette face avant d'assembler le lave-mains. Assortissez la couleur à celles des carreaux et du lavabo, afin que l'ensemble soit beau, vu sous n'importe quel angle.

TOUT CE DONT VOUS AVEZ BESOIN

- **OUTILS :** scie circulaire, perceuse et scie emporte-pièce, scie sauteuse, couteau universel, agrafeuse industrielle, couteau à mastiquer, équerre de charpentier, truelle, aplanissoir pour coulis, éponge pour coulis, pinceau en mousse, pistolet à calfeutrer, mètre à ruban.

- **MATÉRIEL :** contreplaqué de ³/₄ po pour l'extérieur, feuille de plastique de 4 mil, ruban adhésif d'emballage, panneau de ciment de ¹/₂ po, vis pour panneaux de ciment de 1 ¹/₂ po, ruban maillé en fibre de verre, mortier à prise rapide, carreaux, coulis avec additif au latex, pâte à calfeutrer, socle de récupération, lavabo rond, robinets, tuyauterie d'évacuation.

1. *Prenez les mesures du socle et du lavabo et déterminez les dimensions que doit avoir la tablette en contreplaqué. Coupez la tablette aux dimensions voulues.*

2. *Tracez le contour de la découpe du lavabo sur la tablette. Forez des trous d'amorçage et utilisez une scie sauteuse pour découper l'ouverture. Servez-vous du gabarit fourni avec le lavabo pour tracer les découpes. Utilisez une scie emporte-pièce pour découper les ouvertures des robinets.*

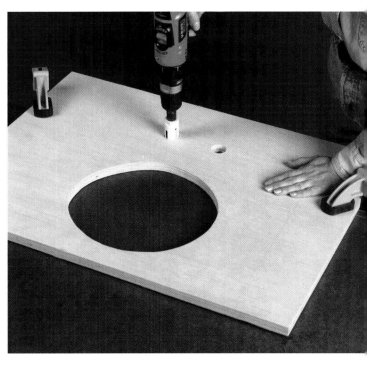

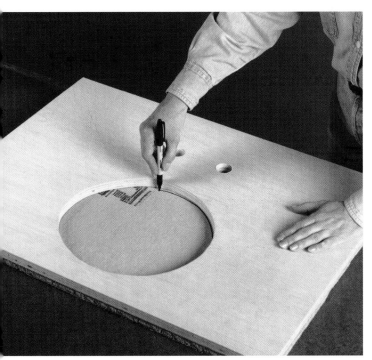

3. *Découpez un panneau de ciment aux dimensions de la tablette en contreplaqué, puis utilisez la tablette en contreplaqué comme gabarit pour tracer le contour des découpes à pratiquer dans le panneau de ciment.*

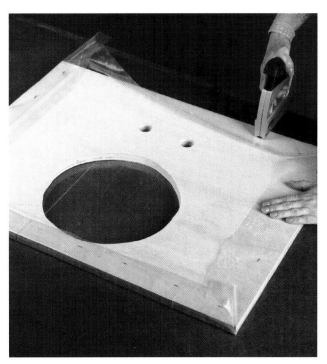

4. *Posez une feuille de plastique sur la tablette de contreplaqué et repliez-la autour des bords. Agrafez-la en place. Si vous utilisez plusieurs feuilles de plastique, faites-les chevaucher sur 6 po à l'endroit des joints et scellez-les avec de l'adhésif d'emballage.*

Suite à la page suivante

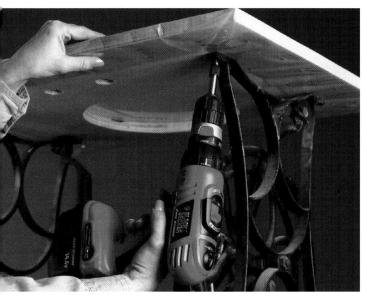

5. *Placez la tablette en contreplaqué sur le socle et fixez-la avec des vis enfoncées à travers le socle, dans la tablette. Si le socle que vous avez choisi l'exige, utilisez des cornières ou des consoles en L, mais assurez-vous que les vis ne traversent pas la tablette en contreplaqué.*

6. *Posez le panneau de ciment sur la tablette, la face rugueuse tournée vers le haut, et fixez-le avec des vis de 1 ½ po. Assurez-vous que les têtes de vis affleurent la surface. Coupez des bandes de panneau de ciment de 1 ¼ po de large et fixez-les aux bords de la tablette avec des vis.*

7. *Recouvrez de ruban en fibre de verre maillée tous les joints des panneaux de ciment. Appliquez-en trois couches le long des bords, là où le panneau rencontre les bandes de panneau de ciment. Remplissez tous les espaces vides et recouvrez le ruban d'une couche de mortier à prise rapide. Lissez le mortier pour créer une surface plane.*

8. *Posez les carreaux à sec en utilisant des séparateurs, en vue de déterminer l'agencement qui vous convient. Lorsque vous avez fixé l'agencement, faites des marques le long des rangées de carreaux posés, dans les deux directions. Tracez des lignes de référence perpendiculaires à l'aide d'une équerre de charpentier.*

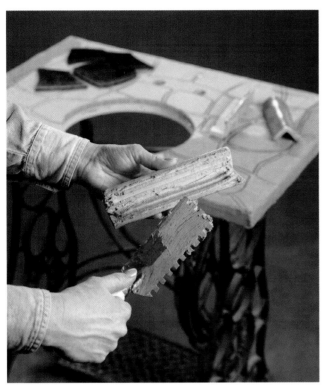

9. Posez les carreaux de bordure et laissez sécher l'adhésif. Installez les autres carreaux et laissez également sécher l'adhésif. Coupez les carreaux si nécessaire. Consultez les p. 176 à 181 pour avoir d'autres renseignements sur la pose de carreaux.

10. Préparez la quantité nécessaire de coulis avec additif au latex et appliquez le coulis à l'aide d'un aplanissoir en caoutchouc pour coulis. Essuyez l'excédent de coulis avec une éponge humide (voir p. 181 pour d'autres renseignements). Lorsque le coulis est sec, appliquez un imperméabilisant pour coulis avec un pinceau en mousse.

11. Posez un anneau de pâte à calfeutrer à l'extérieur du lavabo, juste en dessous du joint qu'il formera avec la tablette. Déposez le lavabo dans l'ouverture, de manière qu'il repose sur le bord de la découpe. Assurez-vous que le joint entre le lavabo et le comptoir est rempli de pâte à calfeutrer.

12. Installez les robinets et la tuyauterie d'évacuation, en suivant les instructions du fabricant.

FABRICATION D'UNE TÊTE DE LIT CARRELÉE

Cette tête de lit, conçue pour évoquer un mur de jardin, est le produit d'une combinaison ingénieuse des matériaux simples. Le mélange à plaques de plâtre incorporé à la peinture au latex crée l'aspect du stuc, et les poteaux de 4 po x 4 po, surmontés de capu-

chons de poteaux de terrasse, font penser à une ancienne grille de jardin. Enfin les deux rangées de carreaux de 2 po x 2 po complètent l'illusion. Cependant, même si ce projet est sophistiqué, la tête de lit est très facile à fabriquer.

Si vous n'êtes pas familiarisé avec l'application du mélange à plaques de plâtre, exercez-vous à créer la texture voulue sur des morceaux de bois inutilisés avant de vous attaquer à la tête de lit. Si la texture que vous obtenez ne vous plaît pas, recommencez jusqu'à ce que vous soyez satisfait du résultat. La texture doit être rugueuse sans présenter de longs morceaux pointus qui risquent de se détacher ou – ce qui est pire – de blesser un dormeur remuant.

La tête de lit figurant sur l'illustration est ornée d'un chérubin en résine coulée. Nous avons enrobé sa boucle de suspension de colle chaude, ce qui le maintient solidement en place, mais vous pouvez obtenir le même résultat avec de la pâte à calfeutrer à base de silicone.

TOUT CE DONT VOUS AVEZ BESOIN

- **Outils :** scie circulaire, scie sauteuse, marteau, ciseau, serre-joints à barre, perceuse, coupe-carreaux, pince coupante, couteau à plaques de plâtre ou truelle carrée de 12 po.

- **Matériel :** poteaux en cèdre de 4 po × 4 po, contreplaqué de ³/₄ po, morceaux bois scié de 2 po × 4 po, vis à plaques de plâtre de 2¹/₂ po, peinture au latex, mélange à plaques de plâtre, ruban-cache, carreaux de céramique de 2 po × 2 po, mastic pour carreaux, coulis, capuchons de poteaux de terrasse, imperméabilisant pour coulis, boulons, polyuréthane semi-brillant, cadre de lit Hollywood.

1. À l'aide de serre-joints, attachez ensemble deux morceaux de cèdre de 4 po × 4 po et tracez les lignes de coupe des encoches, comme le montre le dessin de la p. 198. Réglez la profondeur de coupe d'une scie circulaire à l'épaisseur réelle des traverses de 2 po × 4 po. Faites des traits de scie de cette profondeur, espacés de ¹/₄ po, entre les lignes de coupe des encoches. Utilisez un ciseau pour enlever la partie à rejeter. Placez les traverses dans les encoches, leurs extrémités arrivant au ras des bords extérieurs des poteaux, et leur face arrivant au ras des faces avant des poteaux. Fixez les traverses avec des vis à plaques de plâtre de 2¹/₂ po.

2. Découpez le panneau de fond et l'appui en contreplaqué. Tracez les lignes d'installation des carreaux sur le fond. Vissez le fond aux traverses avec des vis à tête fraisée. Retournez l'ensemble et placez l'appui au-dessus de la première traverse, en alignant ses bords sur les bords du fond. Fixez l'appui en enfonçant les vis à tête fraisée qui le traversent, de manière qu'elles pénètrent dans le fond. Incorporez la peinture au mélange à plaques de plâtre dans un rapport 1 : 4. Masquez la zone à carreler, y compris le bord supérieur du panneau. À l'aide d'un couteau à plaques de plâtre ou d'une truelle carrée de 12 po, étalez le mélange peinture/mélange à plaques de plâtre sur la partie non masquée du fond et de l'appui, puis sur les poteaux. Passez la truelle ou le couteau à mastiquer en appuyant sur un de ses côtés pour créer la texture voulue. Lorsque le mélange est complètement sec, imperméabilisez-le avec une couche de polyuréthane semi-brillant.

Suite à la page suivante

Fabrication d'une tête de lit carrelée *(suite)*

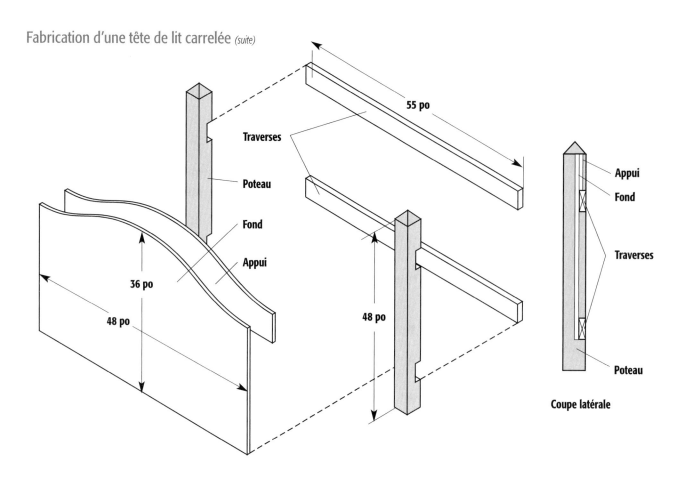

Traverses

Poteau

Fond

Appui

55 po

36 po

48 po

48 po

Appui

Fond

Traverses

Poteau

Coupe latérale

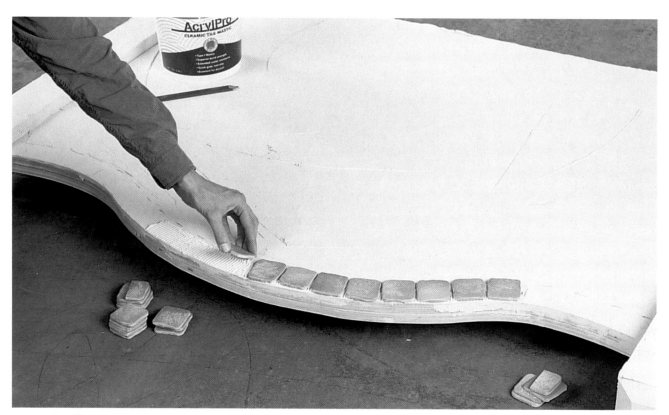

3. *Trouvez le meilleur agencement des carreaux en les posant à sec. Si nécessaire, coupez des carreaux avec un coupe-carreaux ou une pince coupante pour pouvoir les placer.*

4. En progressant de 18 à 24 po à la fois, étalez du mastic sur la partie supérieure, non finie, du panneau en contreplaqué et de l'appui. Posez les carreaux de fond de manière qu'ils arrivent au ras du bord et posez ensuite les carreaux de bordure pour qu'ils arrivent au ras de la face des premiers carreaux. Enfoncez fermement chaque carreau dans le mastic, en le faisant osciller légèrement pour qu'il prenne sa place. Utilisez de la colle chaude pour fixer les trois carreaux à chaque poteau, comme le montre la photo de la p. 196.

5. Lorsque l'adhésif est sec, préparez la quantité nécessaire de coulis au latex. Appliquez le coulis, puis essuyez l'excédent avec une éponge humide. Rincez fréquemment l'éponge et continuez d'essuyer les carreaux jusqu'à ce que tout l'excédent ait disparu. Laissez sécher le coulis pendant une heure, puis frottez la poudre qui recouvre encore les carreaux. Laissez sécher le coulis selon les instructions du fabricant avant de l'imperméabiliser.

6. À l'aide de boulons, fixez un cadre de lit Hollywood à la tête de lit, en utilisant les trous forés préalablement dans les poteaux, aux endroits voulus. Posez un capuchon de poteau de terrasse sur chaque poteau.

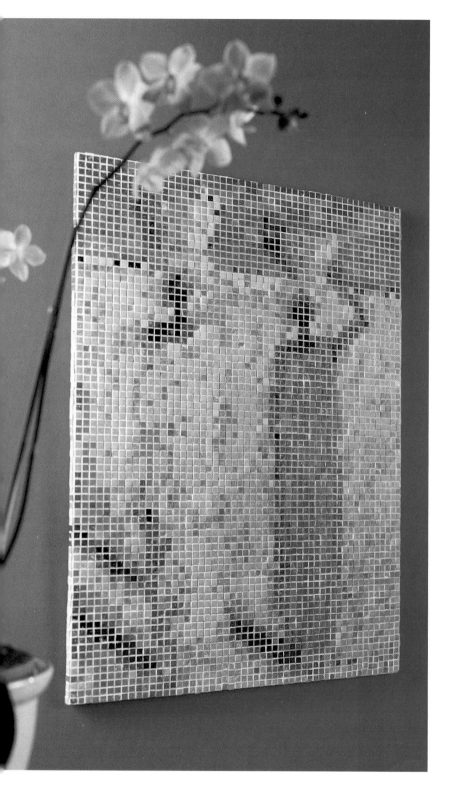

CRÉATION D'UNE MOSAÏQUE MURALE

La création des mosaïques n'est plus comme par le passé l'apanage des artistes; maintenant n'importe qui peut créer une mosaïque en utilisant un motif produit par ordinateur, à l'aide d'un logiciel spécial.

Aux p. 130 à 135, on vous a décrit les étapes à suivre pour réaliser un projet de plancher mosaïqué. Ici, nous vous montrons comment utiliser ce processus pour créer une mosaïque de plus petite dimension que vous pourrez soit pendre au mur, soit placer sur une étagère. Les mosaïques murales sont normalement composées de carreaux de ³/₈ po, appelés abacules. Nous recommandons l'utilisation d'abacules en verre dont on trouve une grande variété de couleurs et de textures dans le commerce et qui permettent de réaliser des ombres subtiles ainsi que des détails saisissants.

Malgré l'impression de raffinement qu'elle dégage, cette œuvre est simple à réaliser. La seule difficulté consiste à placer le support d'abacules sur les grilles qui le soutiennent. Si le support se plisse, les abacules se déplaceront, ce qui dérangera leur agencement. Pour simplifier les choses, faites-vous aider par quelqu'un qui tiendra chaque coin du support pendant que vous le presserez sur les abacules et que vous enlèverez progressivement la pellicule protectrice qui le recouvre.

TOUT CE DONT VOUS AVEZ BESOIN

- **OUTILS :** couteau universel, règle rectifiée, truelle carrée, aplanissoir à coulis.

- **MATÉRIEL :** grilles à mosaïque, abacules de ³/₈ po, support de montage pour mosaïque, mastic à carreaux, coulis, boucles de suspension.

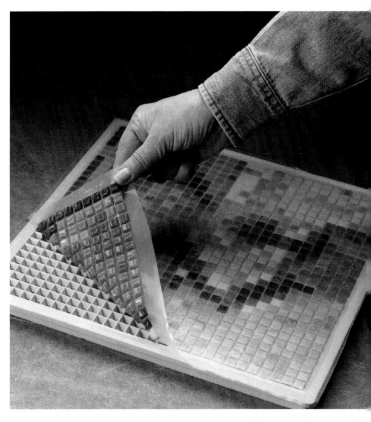

1. *Choisissez une image et reproduisez-la au moyen du logiciel Tile Creator (voir p. 130 à 132). Marquez les abacules selon la carte des couleurs et organisez votre espace de travail. Posez les abacules dans la grille, à leurs places respectives, rangée par rangée, conformément aux numéros des couleurs figurant sur la feuille guide (placez-les la face finie vers le haut). Barrez chaque rangée de numéros terminée sur la feuille guide.*

2. *Couvrez chaque grille terminée d'une feuille de support de montage, après l'avoir séparée de sa pellicule protectrice, et appuyez progressivement celle-ci contre la grille d'abacules (voir p. 134). Frottez-la pour vous assurer qu'elle adhère bien à chaque abacule.*

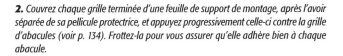

3. *Découpez une feuille de panneau de ciment aux dimensions qu'aura la mosaïque finie. Mesurez les grilles à abacules et tracez les quadrants correspondants sur la feuille de panneau de ciment (voir p. 133). Étalez le mastic sur un quadrant à la fois et posez les abacules à leur place (recouverts de leur feuille de support). Laissez sécher le mastic, puis, décollez le support des abacules. Ajoutez des abacules sur les bords du panneau.*

4. *Étalez du coulis sur les abacules (voir p. 120 et 121). Au dos de la mosaïque, tracez une ligne horizontale droite, à 4 po du bord supérieur. Installez une boucle de suspension de chaque côté, au ras de cette ligne, et à 4 po de chaque bord.*

CRÉATION D'UNE PLAQUE POUR NUMÉRO DE MAISON

On peut créer toutes sortes de mosaïques en combinant des fragments de carreaux et de porcelaine. Nous montrons ici comment fabriquer une plaque pour numéro de maison, un projet facile et rapide à réaliser, qui permet d'utiliser un surplus de carreaux dont on ne sait que faire.

Découpez la plaque pour qu'elle ait la forme indiquée ou la forme que vous avez choisie, mais veillez à utiliser du contreplaqué pour l'extérieur et à imperméabiliser le coulis après l'avoir laissé sécher, en suivant les instructions du fabricant. Si vous prenez ces précautions, votre plaque numérotée gardera tout son attrait pendant des années.

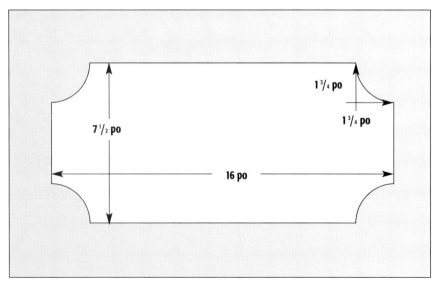

1 $\frac{3}{4}$ po

1 $\frac{3}{4}$ po

7 $\frac{1}{2}$ po

16 po

TOUT CE DONT VOUS AVEZ BESOIN

- **OUTILS :** scie sauteuse, pinceau, maillet en caoutchouc, pince à carreaux, outil rotatif, pistolet à colle chaude, aplanissoir à coulis, perceuse.

- **MATÉRIEL :** contreplaqué de $\frac{3}{4}$ po pour l'extérieur, apprêt pour bois, pochoirs numéro 4, carreaux, assiette à motif chintz, colle chaude ou pâte à calfeutrer à la silicone, coulis, boucles et vis de suspension.

1. *Agrandissez et photocopiez le modèle qui figure sur la page de gauche. Tracez-le sur du contreplaqué et découpez-le à l'aide d'une scie sauteuse. Appliquez une couche d'apprêt pour bois et laissez-le sécher. Indiquez le centre de la plaque, tracez-y des lignes d'installation parallèles et marquez l'emplacement des chiffres. Dessinez les chiffres au pochoir et tracez une bordure à 1 1/4 po du bord de la plaque.*

2. *À l'aide d'un outil portatif muni d'un disque à meuler, polissez la saillie au dos de chaque assiette. Puis placez tour à tour les assiettes dans un sac en papier épais et fermez-le en enroulant le bord ; martelez le sac avec un maillet en caoutchouc pour briser l'assiette. (Portez des lunettes de sécurité). Brisez les carreaux de la même façon.*

3. *Posez les fragments à l'intérieur des chiffres, en ajustant leur forme si nécessaire, avec une pince coupante et fixez-les avec de la colle chaude ou de la pâte à calfeutrer à la silicone. Remplissez le fond de la plaque de fragments de porcelaine.*

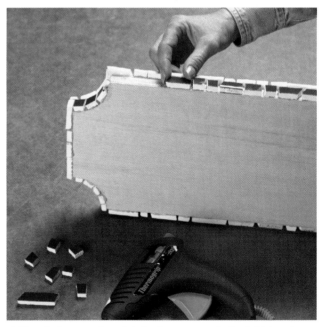

4. *Placez la plaque sur chant et ajoutez des carreaux sur les bords. Jointoyez les carreaux avec du coulis et laissez-le sécher complètement avant de l'imperméabiliser avec un produit adéquat. (Voir aux p. 120 et 121 d'autres renseignements sur le jointoiement des carreaux avec un coulis.) Fixez deux boucles de suspension au dos de la plaque mosaïquée.*

Projets pour L'Extérieur

Combinés à d'autres matériaux, les carreaux créent des effets surprenants dans les décors extérieurs

(À droite) Dans cette cour urbaine, l'espace laissé entre les carreaux de pierre permet à la mousse de pousser.

(À l'extrême droite) Une longue table d'appoint couverte de carreaux d'un bleu brillant contraste agréablement avec le ton neutre du plancher en pierre de carrière et celui des murs en pierre naturelle.

(Ci-dessus) Dans cette niche, des carreaux décoratifs entourent le foyer à feu ouvert surmonté d'une tablette en briques. Le plancher, fait de grandes pierres de carrière est incrusté de carreaux décoratifs qui soulignent le style méditerranéen du patio. Les accessoires éparpillés çà et là rappellent le thème bleu et blanc du foyer et des carreaux décoratifs.

(Page suivante) La fontaine carrelée trônant au centre d'un patio en pierre de taille, ajoute à ce paysage une note de couleur, agréable en toute saison.

(Ci-dessus) La texture et les couleurs de la marbrure de ce beau carrelage donnent à l'allée une majesté que ne laisse pas soupçonner son rôle purement utilitaire.

Le carrelage peut mettre en valeur les coins de détente, les coins repas, les allées, et même les bains à remous.

(Ci-dessus) Dans ce paysage d'arrière-cour, des carreaux bleus, bigarrés, posés en diagonale transforment un simple bain à remous rectangulaire en une sorte d'oasis.

(Page précédente) Ce patio surélevé est recouvert de carreaux de porcelaine de différentes tailles et formes. Les couleurs et les textures des carreaux sont assorties aux autres éléments du décor, tels que le muret en pierre, les jardinières en terre cuite et le fauteuil en bois vieilli.

(Ci-dessus) Ce coin repas est délimité par un motif à bordure, figurant un tapis, lui-même entouré de grands carreaux posés en diagonale.

Les motifs des carreaux coordon-
nés aux éléments extérieurs de la
maison amplifient leur effet.

*(Ci-dessus) La couleur or de cet extérieur se retrouve
dans le carrelage bigarré et elle est soulignée par le
jaune soleil de l'ameublement du patio.*

*(À droite) Les losanges bleu marine et blanc renforcent
l'aspect engageant de la porte bleue.*

*(Page suivante) Des carreaux bleu, blanc et jaune
entourent la fenêtre bordée de jaune et de blanc. Sans
cette charmante décoration, la fenêtre paraîtrait
banale ; grâce à elle, elle brille comme une étoile.*

Qu'ils soient unis ou de fantaisie, les carreaux ajoutent caractère et originalité aux planchers extérieurs.

(Ci-dessus) Avec ses contremarches décorées individuellement, cet escalier devient un véritable ouvrage ornemental de style italien.

(À gauche) Le motif héraldique de ces carreaux décoratifs rappelle l'arrière-cour d'un jardin anglais.

(Page précédente) Ce plancher à motif à chevrons n'est rien de plus qu'un enchevêtrement de carreaux rectangulaires de deux couleurs, mais son caractère particulier évoque le soleil et le vent marin.

Le carrelage d'un patio peut transformer une dalle de béton grisâtre en un lieu de détente agréable, à l'extérieur. Pour réaliser ce projet de carrelage, nous avons d'abord coulé une nouvelle assise en béton sur la dalle en béton existante du patio (mortaise).

FINITION D'UN PATIO AVEC DES CARREAUX

Les carreaux d'intérieur et d'extérieur se distinguent principalement par leur épaisseur et leur taux d'absorption de l'humidité. Mais l'organisation des travaux et les techniques d'application utilisées sont très semblables. Le carrelage doit toujours reposer sur une assise solide, et la préparation ou la construction de l'assise appropriée constitue parfois une tâche exigeante.

On applique généralement les carreaux d'un patio sur l'assise en béton existante ou sur une nouvelle dalle. Mais il existe une troisième possibilité que nous décrivons dans les pages suivantes, qui consiste à couler une nouvelle assise en béton sur la dalle existante d'un patio. Cette solution est beaucoup moins laborieuse et moins coûteuse que celle qui consiste à enlever l'ancien patio et à couler une nouvelle dalle. De plus, on a la garantie que le patio nouvellement carrelé n'aura pas à pâtir des problèmes causés par l'ancienne surface de béton. Regardez les photographies en haut de la p. 216; elles vous aideront à choisir la meilleure méthode à utiliser pour préparer une dalle de béton existante en vue de son carrelage.

S'il n'existe pas de dalle de béton à l'endroit du patio projeté, vous devrez en couler une.

Le projet décrit ici se divise en deux: la coulée d'une nouvelle assise et l'installation des carreaux du patio. Si votre patio existant est en bon état, vous ne devrez pas couler une nouvelle assise.

Lorsque vous choisissez les carreaux de votre patio, assurez-vous que ce sont des carreaux d'extérieur, spécialement fabriqués pour résister aux cycles gel-dégel contrairement aux carreaux d'intérieur. Choisissez de préférence des couleurs et des textures qui s'harmonisent avec les autres parties de la maison et du jardin. Si le carrelage exige de nombreuses coupes de carreaux, louez une scie à eau ou arrangez-vous avec le fournisseur pour faire couper les carreaux aux dimensions voulues.

Les carreaux d'extérieur pour patios sont plus denses et plus épais que les carreaux d'intérieur. Les types les plus courants comprennent les carreaux de grès coquiller, les carreaux de céramique pour patios et les carreaux de grès cérame. La dimension de carreau la plus courante est de 12 po × 12 po, mais on vend également des carreaux précoupés en usine de formes variables qu'on peut assembler pour former des motifs compliqués.

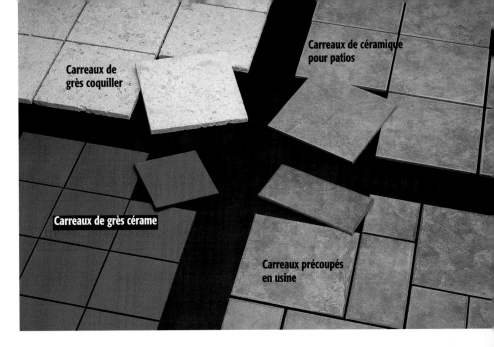

Carreaux de céramique pour patios

Carreaux de grès coquiller

Carreaux de grès cérame

Carreaux précoupés en usine

Les outils suivants sont conçus pour la pose des carreaux d'extérieur : la scie à eau, qui permet de couper un grand nombre de carreaux (en général, on la loue), la truelle à encoches rectangulaires, qui sert à étendre l'adhésif à carreaux (consultez les instructions du fabricant des carreaux pour savoir quelle dimension d'encoche utiliser), la taloche ou l'aplanissoir à coulis, qui permet d'étendre le coulis dans les joints des carreaux, l'éponge pour essuyer l'excédent de coulis, les pinces à carreaux, qui servent à couper les carreaux suivant des lignes courbes ou angulaires, les séparateurs, qui maintiennent une distance uniforme entre les carreaux, et le maillet en caoutchouc, qui sert à enfoncer les carreaux dans l'adhésif.

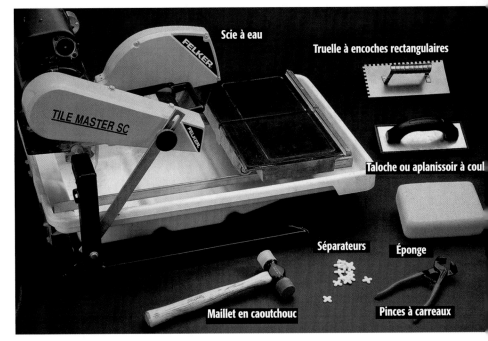

Scie à eau

Truelle à encoches rectangulaires

Taloche ou aplanissoir à coul

Séparateurs

Éponge

Maillet en caoutchouc

Pinces à carreaux

Les produits et le matériel suivants sont utilisés dans la pose des carreaux de patios : le coulis pour carreaux d'extérieur (coloré ou non), le produit de scellement acrylique pour coulis, le support à stuc pour renforcer la dalle en béton, la pâte à calfeutrer au latex pour remplir les joints des carreaux au-dessus des joints de rupture, le cordon de calfeutrage pour empêcher le coulis de pénétrer dans les joints de rupture, l'adjuvant de coulis fortifié au latex, le produit de scellement pour carreaux, le béton mélangé pour plancher qui sert à couler l'assise des carreaux, l'adhésif pour carreaux (mortier à prise rapide) et le sac à mortier pour remplir les joints de coulis (facultatif).

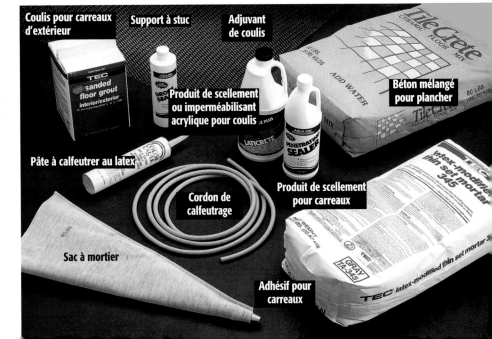

Coulis pour carreaux d'extérieur

Support à stuc

Adjuvant de coulis

Béton mélangé pour plancher

Produit de scellement ou imperméabilisant acrylique pour coulis

Pâte à calfeutrer au latex

Cordon de calfeutrage

Produit de scellement pour carreaux

Sac à mortier

Adhésif pour carreaux

Conseils pour déterminer l'état d'une surface en béton

Une surface est en bon état *si elle est exempte de grandes fissures et ne présente pas de parties fortement écaillées. Vous pouvez appliquer les carreaux de patio directement sur une surface en bon état si elle comporte des joints de rupture (voir ci-dessous).*

Une surface est acceptable *si elle présente éventuellement des fissures et de petits éclats, mais pas de fissures importantes et aucun endroit fortement abîmé. Avant d'installer les carreaux du patio sur une surface acceptable vous devez couler une nouvelle assise.*

Une surface est en mauvais état *si elle présente des fissures profondes et importantes, des parties où le béton est cassé, défoncé ou soulevé, ou de nombreux éclats. Si vous devez travailler sur une surface de ce type, enlevez complètement le béton et remplacez-le par une nouvelle dalle de béton avant d'installer les carreaux du patio.*

Conseils pour tirer les joints de rupture d'un patio en béton

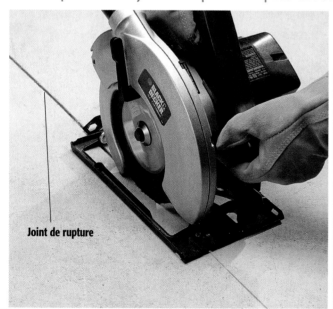

Joint de rupture

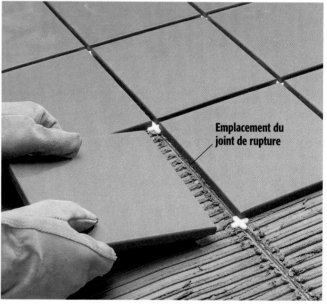

Emplacement du joint de rupture

Coupez de nouveaux joints de rupture *dans les patios en béton existants, s'ils sont en bon état mais possèdent un nombre insuffisant de joints de ce type. Les joints de rupture permettront aux inévitables fissures de se produire aux emplacements où elles n'affaibliront pas le béton et n'altéreront pas son aspect. Dans un patio, il faut couper ces joints tous les 5 ou 6 pi. Prévoyez de les placer juste en dessous des joints des carreaux que vous êtes sur le point d'installer. Utilisez une scie circulaire munie d'une lame de maçonnerie réglée à une profondeur de 3/8 po pour couper les joints de rupture. Couvrez la base de la scie de ruban adhésif pour empêcher les éraflures.*

Comment couler une assise en vue du carrelage d'un patio

1. *Pour pouvoir installer les éléments de coffrage en bois scié de 2 po × 4 po, creusez, autour du patio, une tranchée qui a 6 po de large minimum, et qui n'a pas plus de 4 po de profondeur. Nettoyez les côtés dégagés du patio pour les débarrasser de leur saleté et des débris. Coupez et ajustez les morceaux de 2 po × 4 po du coffrage entourant le patio et attachez-les aux extrémités à l'aide de vis de 3 po. Taillez des piquets en bois scié de 2 po × 4 po et enfoncez-les contre le coffrage, à l'extérieur, en les espaçant de 2 pi.*

- **Outils :** outils manuels de base, pelle, masse, règle rectifiée, cisaille de type aviation, bêche de maçon, boîte à mortier, pilon manuel, taloche en magnésium, fer à bordures, couteau universel, truelle carrée.

- **Matériel :** papier de construction n° 30, plastique en feuilles, bois scié de 2 po × 4 po et de 2 po × 2 po, vis à planchers de 2 ½ po et de 3 po, support à stuc de ⅜ po, béton mélangé pour plancher, bitume de collage.

Séparateur en bois scié de 2 po × 2 po

Support à stuc

2. *Ajustez la hauteur du coffrage : posez un morceau de support à stuc sur la surface du patio, surmonté d'un séparateur en bois scié de 2 po × 2 po (la hauteur combinée de ces deux éléments doit être égale à l'épaisseur de l'assise). Ajustez les éléments du coffrage pour qu'ils affleurent le séparateur et attachez les piquets au coffrage à l'aide de vis de 2 ½ po.*

3. *Enlevez les séparateurs en bois scié de 2 po × 2 po et le support à stuc, et posez des bandes de papier de construction n° 30 sur la surface du patio, en les faisant chevaucher sur 6 po, en vue de créer une membrane de démoulage sous la nouvelle surface. Pliez le papier de construction le long des bords et dans les coins, en le laissant dépasser du coffrage. Faites une légère incision dans chaque coin pour pouvoir plier le papier plus facilement.*

4. *Posez des bandes de support à stuc sur la membrane en papier de construction, en les faisant chevaucher sur 1 po et en coupant le support à stuc à 1 po des bords du coffrage et du mur avec une cisaille de type aviation (portez des gants épais pour effectuer ce travail).*

Suite à la page suivante

5. Installez des éléments de coffrage temporaires en bois scié de 2 po × 2 po pour diviser le patio en sections de travail et constituer des supports qui soutiendront la planche à araser le béton fraîchement coulé. Divisez la surface en sections suffisamment étroites pour que vous puissiez atteindre toute leur surface (pour la plupart des gens, des sections qui ont 3 ou 4 pi de large ne présentent aucune difficulté). Fixez les morceaux de bois de 2 po × 2 po à la bordure du coffrage – qui arrive au même niveau – à l'aide de vis enfoncées dans leurs extrémités.

6. Dans une boîte à mortier, ajoutez de l'eau au mélange à sec de béton pour planchers et mélangez le tout à l'aide d'une bêche de maçon, en suivant les instructions du fabricant, ou utilisez une bétonnière mécanique.

Note : le mélange doit être très sec, car il faut pouvoir l'enfoncer à travers les mailles du support à stuc à l'aide d'un pilon manuel.

7. Remplissez de béton une section de travail, jusqu'au niveau supérieur du coffrage. Damez fermement le béton à l'aide d'un pilon léger, pour l'enfoncer à travers les mailles du support à stuc et pour qu'il remplisse bien les coins. Le pilon montré ici est fait d'un morceau de 12 po × 12 po de contreplaqué de ¾ po d'épaisseur auquel on a fixé un manche en bois scié de 2 po × 4 po.

8. Égalisez la surface du béton en faisant glisser une planche à araser en bois scié de 2 po × 4 po sur les bords du coffrage de la section tout en lui imprimant un mouvement de va-et-vient et en remplissant les creux que présente la surface. Si des creux subsistent malgré tout, ajoutez du béton et lissez-le.

9. Lissez la surface au moyen d'une taloche en magnésium. Appliquez une pression très légère et déplacez la taloche suivant un mouvement de va-et-vient en arc de cercle, en relevant légèrement le bord avant pour éviter d'entamer la surface.

10. Coulez le béton dans la section suivante et arasez la surface, en répétant les étapes 7 à 9. Après avoir lissé la surface, enlevez l'élément de coffrage temporaire en bois scié de 2 po × 2 po séparant les deux sections. Remplissez le vide ainsi créé, avec du béton frais que vous aplanirez ensuite avec la taloche en magnésium jusqu'à ce que le béton soit lisse et plane, et qu'il se fonde dans la section de travail. Coulez et finissez une à une les dernières sections de travail en appliquant les mêmes techniques.

Suite à la page suivante

11. *Laissez sécher le béton jusqu'au point où la surface ne conserve aucune empreinte lorsqu'on y presse le doigt. À l'aide d'un fer à bordures, découpez le contour du béton, le long des bords de l'assise. Relevez légèrement le bord avant du fer pour éviter d'entamer la surface. À l'aide d'une taloche, effacez les marques laissées par le fer sur la surface.*

12. *Couvrez le béton de feuilles de plastique et laissez-le sécher pendant trois jours minimum (voir les recommandations du fabricant à ce sujet). Appliquez des poids sur les feuilles de plastique. Lorsque le séchage est terminé, enlevez le plastique et démontez le coffrage, puis enlevez-le.*

13. *À l'aide d'un couteau universel, découpez le papier de construction qui dépasse sur les côtés du patio. Avec une truelle ou un couteau à mastiquer, appliquez une couche de bitume de collage sur trois côtés du patio pour remplir et imperméabiliser le joint existant entre l'ancienne et la nouvelle surface. Pour assurer le drainage entre ces deux couches de béton, n'imperméabilisez pas le côté du patio le plus bas. Après avoir laissé sécher le bitume de collage, remplissez de terre la tranchée entourant le patio.*

CARRELAGE D'UN PATIO

Dans tous les travaux de carrelage, la partie la plus importante consiste à tracer les lignes de référence en vue de la pose des carreaux. La meilleure manière de réussir ce travail consiste à effectuer préalablement un essai d'agencement à sec des carreaux. Tâchez que votre agencement final ne requière qu'un minimum de coupes.

Après avoir trouvé l'agencement qui convient, tracez soigneusement les lignes de référence sur la surface de travail. Pour que votre patio carrelé offre l'aspect d'un travail de professionnel, vous devez respecter ces lignes et utiliser des techniques de pose éprouvées.

Certains carreaux fabriqués présentent de petites protubérances sur les bords qui règlent automatiquement l'écart entre les carreaux, lors de la pose. Mais la plupart du temps, il faut se servir de séparateurs en plastique qu'on installe à mesure que la pose progresse et qu'il faut enlever avant que l'adhésif des carreaux ne sèche.

Les patios carrelés se fissurent facilement. Assurez-vous que l'assise comporte suffisamment de joints de rupture pour empêcher ce dégât (page 216). Posez les carreaux en alignant leurs joints sur les joints de rupture. Remplissez ces joints-là de pâte à calfeutrer souple au latex, plutôt que de coulis.

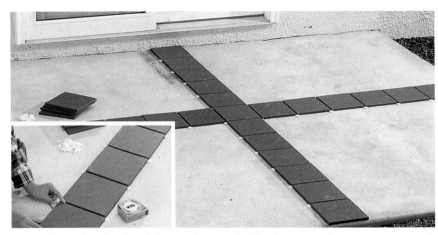

1. Posez à sec sur la surface du patio deux rangées perpendiculaires de carreaux, qui se rencontrent au centre du patio. Placez des séparateurs qui représenteront les joints entre les carreaux (mortaise). Arrêtez la pose des carreaux à ¼ ou ½ po de la maison pour permettre leur dilatation. Cette pose à sec vous aidera à agencer les carreaux d'une manière attrayante et rationnelle.

2. Ajustez les carreaux pour réduire au minimum le nombre de coupes. Déplacez les rangées de carreaux et les séparateurs jusqu'à ce qu'ils couvrent d'égale manière les extrémités opposées du patio et que tous les carreaux coupés aient au moins 2 po de large.

TOUT CE DONT VOUS AVEZ BESOIN

• **Outils :** équerre de charpentier, règle rectifiée, mètre à ruban, cordeau traceur, coupe-carreaux ou scie à eau, pince à carreaux, truelle à encoches carrées, pince à bec effilé, maillet en caoutchouc, taloche à coulis, éponge à coulis, pistolet à calfeutrer.

• **Matériel :** séparateurs de carreaux, seaux, pinceau et rouleau à peinture, feuilles de plastique, essuie-tout, mortier à prise rapide, carreaux, cordon de calfeutrage, coulis, adjuvant pour coulis, pâte à calfeutrer au latex pour carreaux, produit de scellement pour coulis, produit de scellement pour carreaux.

Tracez une ligne de référence au cordeau traceur

3. Après avoir déterminé l'agencement définitif, tracez les lignes de référence sur la surface à carreler. Marquez la surface au joint de la troisième et de la quatrième rangée comptées à partir de la maison, mesurez cette distance et reportez-la plusieurs fois sur la surface. Joignez ces points par une ligne cinglée au moyen d'un cordeau traceur.

Suite à la page suivante

4. *Utilisez une équerre de charpentier et une longue planche droite pour marquer les points d'une deuxième ligne de référence, perpendiculaire à la première. Marquez ces points contre les carreaux posés à sec pour que la ligne de référence tombe à l'emplacement d'un joint. Enlevez les outils et les carreaux, et tracez une deuxième ligne entre ces points avec un cordeau traceur.*

5. *Posez les carreaux dans une section de travail à la fois, en commençant par la section la plus rapprochée de la maison. Commencez par mélanger un lot de mortier à prise rapide dans un seau, en suivant les instructions du fabricant. À l'aide d'une truelle à encoches carrées, étalez le mortier uniformément le long des deux lignes de référence de la section. Appliquez suffisamment de mortier pour poser quatre carreaux le long de chaque ligne.*

6. *Servez-vous de la tranche de la truelle pour marquer d'ondulations le mortier. Appliquez suffisamment de mortier pour recouvrir entièrement la surface se trouvant sous les carreaux, sans toutefois recouvrir les lignes de référence.*

7. *Posez le premier carreau dans le coin de la section, à l'endroit où les lignes s'entrecoupent ; appuyez un peu sur le carreau en le faisant osciller légèrement et ajustez-le pour qu'il soit parfaitement aligné sur les lignes de référence.*

8. Tapotez uniformément toute la surface du carreau avec un maillet en caoutchouc pour l'enfoncer dans le mortier, en prenant soin de ne pas casser le carreau et de ne pas faire sortir le mortier qu'il recouvre. **Note :** une fois que vous commencerez à remplir la zone intérieure de la section, vous gagnerez du temps en posant plusieurs carreaux à la fois et en les enfonçant tous à la fois avec le maillet.

9. Placez les séparateurs aux coins du premier carreau de la section de travail.

10. Posez le carreau suivant dans le mortier, le long de la ligne de référence de la section, en vous assurant qu'il est bien contre les séparateurs. Tapotez-le avec le maillet pour l'enfoncer dans le mortier, puis posez le carreau suivant le long de l'autre ligne de la section et enfoncez-le également dans le mortier. Assurez-vous que les carreaux longent bien les lignes de référence.

11. Posez les autres carreaux dans la zone couverte de mortier, en utilisant des séparateurs pour former des joints réguliers. Essuyez l'excédent de mortier avant qu'il ne sèche. **Note :** les séparateurs en plastique sont placés temporairement : enlevez-les avant que le mortier ne durcisse, c'est-à-dire généralement dans l'heure qui suit la pose.

Suite à la page suivante

12. *Appliquez une couche de mortier, en lui imprimant une ondulation, à l'intérieur de la partie centrale : ne couvrez que la surface que vous pouvez carreler en 15 ou 20 minutes.* **Conseil :** *commencez par travailler sur de petites surfaces et augmentez votre champ de travail en fonction de votre cadence.*

13. *Posez les carreaux dans la zone intérieure de la première section, en gardant les carreaux coupés pour la fin. Louez une scie à eau pour couper les carreaux, ou utilisez un coupe-carreaux. Pour les coupes courbes, utilisez une pince à carreaux.*

14. *Appliquez du mortier et posez les carreaux dans la section suivante, le long de la maison, en utilisant la même technique que pour la première section. En terminant la première section, enlevez prudemment les séparateurs avec une pince à bec effilé, ne les laissez pas plus d'une heure dans le mortier. N'oubliez pas d'enlever l'excédent de mortier des carreaux avant qu'il ne durcisse.*

15. Posez les carreaux dans les sections restantes. **Conseil :** utilisez une règle rectifiée pour vérifier occasionnellement les joints. Si vous constatez qu'une ligne de joints n'est pas droite, corrigez progressivement le désalignement en posant les rangées de carreaux suivantes.

16. Après avoir posé tous les carreaux du patio, vérifiez si vous avez enlevé tous les séparateurs de même que l'excédent de mortier de la surface des carreaux. Couvrez le travail d'une feuille de plastique et laissez-la pendant trois jours pour donner au mortier le temps de sécher complètement.

Cordon de calfeutrage

17. Après trois jours, enlevez le plastique et préparez les carreaux en vue de l'application du coulis dans les joints. Créez des joints de dilatation sur la surface carrelée en insérant des bandes de cordon de calfeutrage de ¹/₄ po de diamètre dans les joints séparant les sections et dans les joints superposés aux joints de rupture, de manière à empêcher le coulis de pénétrer dans ces joints.

Suite à la page suivante

18. *Préparez un lot de coulis pour carreaux et ajoutez un adjuvant au latex. Commencez dans un coin et étendez une couche de coulis sur une zone ne dépassant pas 25 pi ca. Utilisez une taloche à coulis pour étendre le coulis et l'enfoncer dans les joints des carreaux.*

19. *À l'aide de la taloche à coulis, frottez la surface des carreaux pour la débarrasser de l'excédent de coulis qui la recouvre. Frottez-la en diagonale par rapport aux joints en tenant la taloche en position presque verticale. Les carreaux du patio absorberont rapidement et définitivement le coulis; il est donc important d'enlever tout l'excédent de coulis de la surface avant qu'il ne sèche. Si la surface est étendue, nous vous recommandons de vous faire aider.*

20. *Utilisez une éponge humide pour essuyer la pellicule de coulis couvrant la surface des carreaux. Rincez fréquemment l'éponge à l'eau froide et n'appuyez pas trop à l'endroit des joints, car vous risqueriez de déloger le coulis. Lavez toute la surface de cette manière.*

21. *Laissez sécher le coulis pendant environ quatre heures et sondez-le avec un clou pour vérifier s'il a durci. À l'aide d'un chiffon, lissez la surface jusqu'à ce que toute trace de coulis ait disparu. Si le ponçage n'enlève pas tout le coulis, essayez d'utiliser un chiffon plus rugueux, comme un chiffon de jute, ou même un tampon abrasif.*

22. Enlevez le cordon de calfeutrage des joints du carrelage et remplissez ces joints de pâte à calfeutrer de la même couleur que celle du coulis. La pâte à calfeutrer permettra à la surface carrelée de se contracter ou de se dilater légèrement, ce qui empêchera la fissuration et le soulèvement du carrelage.

23. À l'aide d'une brosse de pouce ou d'un petit pinceau en éponge, appliquez le produit de scellement pour coulis sur les joints. Évitez de déborder sur la surface carrelée et, le cas échéant, essuyez immédiatement tout surplus de produit.

24. Après une période d'une à trois semaines, imperméabilisez la surface en appliquant, suivant les instructions du fabricant, une couche de produit de scellement pour carreaux. Un rouleau à peinture muni d'une rallonge constitue l'outil idéal pour ce genre de travail.

FABRICATION D'UNE FONTAINE CARRELÉE

Une fontaine embellit toujours un paysage, quel qu'il soit, et son installation est beaucoup plus facile et économique qu'on ne le pense. Imaginez la scène : une fontaine carrelée et colorée se reflète

TOUT CE DONT VOUS AVEZ BESOIN

- **Outils :** truelle à encoches, taloche à coulis, pistolet à calfeutrer, scie sauteuse ou coupe-boulon.

- **Matériel :** boisseau de cheminée de 18 po × 18 po x 24 po, briques, supports métalliques en L, grille de métal déployé de 18 po × 18 po, mosaïque de 12 pi ca, mortier à prise rapide, coulis, bloc de béton, adhésif de construction, pompe de fontaine à basse tension, lumières de fontaine à basse tension, galets de verre (env. 4 lb), pâte à calfeutrer

dans un petit jardin aquatique ; l'eau ruisselle doucement sur des galets de verre (que vous pouvez facilement fabriquer vous-même).

Commencez par installer un boisseau de cheminée ordinaire et quelques pieds carrés de mosaïque colorée. Ajoutez une pompe de fontaine de 12 volts et des petites lumières rondes submersibles, qui ne coûtent pas cher et que vous pouvez brancher sur n'importe quel circuit basse tension. En moins de temps qu'il n'en faut pour le dire, vous serez prêt à montrer votre fontaine aux voisins.

Une précaution à prendre : avant d'ajouter des accessoires branchés sur votre circuit basse tension, vérifiez si le transformateur peut supporter cette charge supplémentaire.

Vous trouverez le boisseau de cheminée de la taille qui vous convient dans un magasin spécialisé dans les foyers et la maçonnerie. Quant à la feuille de métal déployé dont vous avez besoin, achetez-la dans n'importe quelle quincaillerie ou maisonnerie.

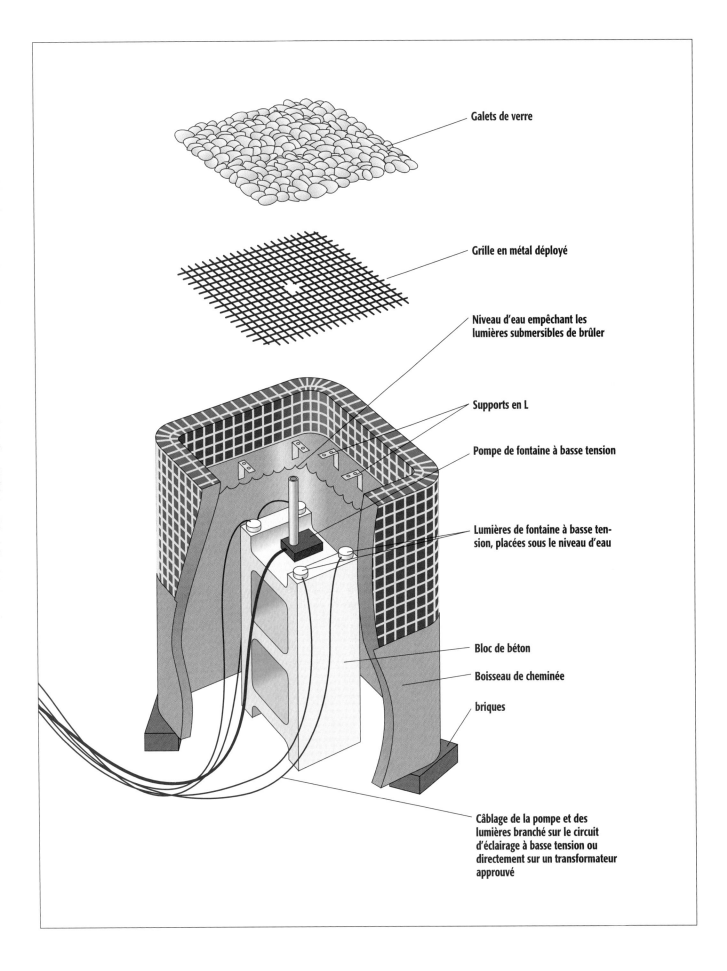

Galets de verre

Grille en métal déployé

Niveau d'eau empêchant les lumières submersibles de brûler

Supports en L

Pompe de fontaine à basse tension

Lumières de fontaine à basse tension, placées sous le niveau d'eau

Bloc de béton

Boisseau de cheminée

briques

Câblage de la pompe et des lumières branché sur le circuit d'éclairage à basse tension ou directement sur un transformateur approuvé

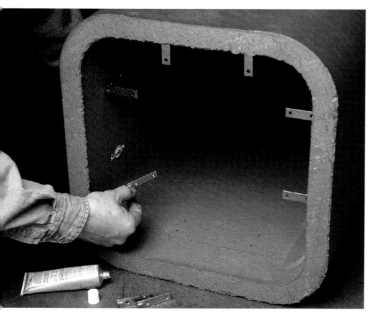

1. Tracez une ligne à l'intérieur du boisseau, à environ 4 po de son bord supérieur. Sur chaque paroi du boisseau, placez deux supports en L au niveau de la ligne et collez-les avec de l'adhésif de construction.

2. Posez la mosaïque à l'extérieur du boisseau et à l'intérieur, jusqu'à la ligne. Pour ce faire, étendez du mortier à prise rapide et posez la mosaïque en l'enfonçant dans le mortier, sur une paroi à la fois. Laissez sécher le mortier conformément aux instructions du fabricant et jointoyez les carreaux lorsque le mortier est sec. (Voir aux p. 120 et 121 pour avoir d'autres détails concernant la pose du coulis entre les carreaux.)

3. Placez quatre briques sur le fond du jardin aquatique et posez-y le boisseau. (Le boisseau étant très lourd, faites-vous aider par une ou deux personnes.) Placez un bloc de béton au centre du boisseau et posez la pompe dessus.

4. Installez les lumières en les fixant au bloc de béton avec un peu de pâte à calfeutrer à la silicone. Faites sortir du jardin aquatique les fils de la pompe et des lumières pour les brancher sur le plus proche accessoire du circuit d'éclairage à basse tension. (Si vous ne disposez pas d'un tel circuit, reliez les fils au transformateur et branchez celui-ci sur la prise à disjoncteur de fuite à la terre la plus proche.)

5. Connectez les fils de la pompe et des lumières à un câble du système d'éclairage à basse tension en utilisant les simples connecteurs fournis avec la pompe. Remplissez le jardin aquatique d'eau et testez les lumières et la pompe. Réglez le fonctionnement de la pompe si nécessaire. Creusez une petite tranchée étroite et enfouissez les fils.

6. À l'aide d'une scie sauteuse munie d'une lame à métaux, découpez (si nécessaire) la grille de métal déployé à installer dans le boisseau. Au centre de la grille, agrandissez un trou jusqu'à ce qu'il ait approximativement 2 po de diamètre, en utilisant la scie sauteuse ou un coupe-boulon. Faites passer le tuyau de sortie de la pompe par ce trou et posez la grille sur les supports en L du boisseau. Faites un monticule de galets de verre autour du tuyau de sortie, en utilisant, le cas échéant, de la pâte à base de silicone pour les coller ensemble ou les coller à la grille. Couvrez le reste de la grille d'une couche de galets de verre.

ACCESSOIRES À BASSE TENSION

Si vous disposez d'un circuit d'éclairage à basse tension, ajoutez des accessoires d'éclairage autour du jardin aquatique et de la fontaine. Le surplus de lumière attirera l'attention sur cette jolie petite fontaine.

Avant d'ajouter des accessoires, assurez-vous que le transformateur peut supporter la charge supplémentaire que vous lui imposez. Si ce n'est pas le cas, faites du câblage de la fontaine un circuit séparé ou achetez un transformateur plus puissant.

FABRICATION D'UN BANC DE JARDIN CARRELÉ

Voici un parfait exemple de « rendement d'un investissement ». Quatre carreaux décoratifs et quelques carreaux assortis produisent un effet remarquable. En fait, ces éléments décoratifs et quelques carreaux de 4 po × 4 po suffisent à transformer un banc en cèdre massif en un ornement de jardin particulier. Et on peut le construire en une fin de semaine.

TOUT CE DONT VOUS AVEZ BESOIN

- **Outils :** mètre à ruban, scie circulaire, perceuse, agrafeuse, scie à onglet manuelle ou à commande mécanique (facultative), couteau universel, cordeau traceur, truelle à encoches de $1/4$ po, pince à bec effilé, taloche à coulis, éponge.

- **Matériel :** 2 morceaux de cèdre de 2 po × 4 po (8 pi), 1 morceau de cèdre de 2 po × 6 po (8 pi), 1 morceau de cèdre de 4 po × 4 po (8 pi), une feuille de 4 pi × 4 pi de contreplaqué de $3/4$ po pour l'extérieur, une feuille de 4 pi × 4 pi de panneau de ciment de $1/2$ po, plastique en feuilles, vis à planchers galvanisées de 2 po, vis à planchers galvanisées de 3 po, vis à panneaux de ciment de 1 $1/4$ po, apprêt transparent, carreaux de fond et carreaux décoratifs, mortier à prise rapide, séparateurs de carreaux, coulis, imperméabilisant pour coulis.

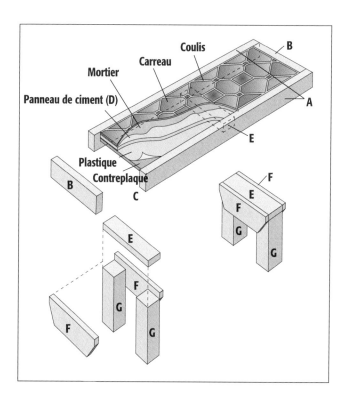

LISTE DIMENSIONNELLE

Repère	Pièce	Dimensions	Qté	Matériel
A	Côté	1 $1/2$ po × 3 $1/2$ po × 51 po	2	Cèdre
B	Extrémité	1 $1/2$ po × 3 $1/2$ po × 16 po	2	Cèdre
C	Panneau	15 po × 48 po	1	Contreplaqué pour l'extérieur
D	Panneau	15 po × 48 po	1	Panneau de ciment
E	Traverse	1 $1/2$ po × 3 $1/2$ po × 16 po	3	Cèdre
F	Renfort	1 $1/2$ po × 5 $1/2$ po × 16 po	4	Cèdre
G	Pied	3 $1/2$ po × 3 $1/2$ po × 13 po	4	Cèdre

1. Coupez les deux côtés et les deux extrémités, et placez ces dernières entre les côtés, de manière que les bords affleurent. Assurez-vous que le cadre est d'équerre. Forez des avant-trous de ⅛ po à travers les côtés, dans les extrémités. Enfoncez des vis de 3 po dans les avant-trous.

2. Coupez les trois traverses. Faites des marques sur les côtés, à 4½ po de chaque extrémité. Placez des intercalaires de 1½ po sous les marques et posez-y les traverses en vous assurant qu'elles sont de niveau. Forez des avant-trous et fixez les traverses aux côtés, au moyen de vis de 3 po.

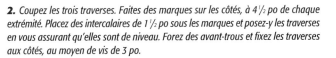

3. Découpez le panneau de 15 po × 48 po en contreplaqué de ¾ po pour l'extérieur et celui de même dimension en panneau de ciment. Agrafez une feuille de plastique sur le contreplaqué, après l'avoir repliée autour des bords. Posez le panneau de ciment, la face rugueuse vers le haut, sur le panneau de contreplaqué, et fixez-le avec des vis à panneau de ciment de 1¼ po, enfoncées tous les 6 po. Assurez-vous que les têtes des vis arrivent au ras de la surface.

4. Posez le cadre retourné sur le panneau central. Forez des avant-trous et enfoncez des vis à plancher galvanisées de 2 po à travers les traverses, dans le contreplaqué.

Suite à la page suivante

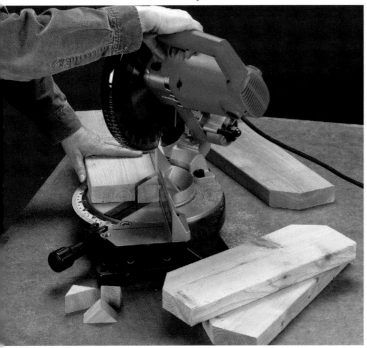

5. *Découpez les quatre renforts dans du cèdre de 2 po × 6 po. Tracez la ligne de coupe inclinée à l'extrémité de chaque renfort en faisant deux marques à 1½ po du coin, respectivement le long du bord inférieur et du bord latéral et en joignant ces deux points. Coupez les coins des renforts le long de ces lignes avec une scie à onglet manuelle ou à commande mécanique, ou avec une scie circulaire.*

6. *Tracez une ligne de référence sur chaque traverse, à ¾ po du bord supérieur, pour indiquer l'emplacement des vis. Forez des avant-trous le long de ces lignes de référence. Placez un renfort de chaque côté des deux traverses extrêmes et fixez-le avec des vis de 3 po enfoncées dans la traverse.*

7. *Coupez les quatre pieds dans du cèdre de 4 po × 4 po. Placez chaque pied entre deux renforts et contre les côtés. Forez des avant-trous à travers chaque renfort et fixez le pied correspondant aux deux renforts en enfonçant des vis de 3 po à travers les renforts, dans le pied. Poncez toutes les surfaces avec du papier de verre numéro 150 et imperméabilisez toutes les surfaces en bois avec de l'apprêt pour bois transparent.*

8. *Cinglez les lignes de référence perpendiculaires qui se coupent au centre du banc. Posez à sec les carreaux de fond, en commençant au centre; utilisez des séparateurs. Placez les carreaux décoratifs sur les carreaux de fond et marquez ceux-ci pour les couper.*

9. Coupez les carreaux de fond et continuez à poser à sec tous les carreaux, y compris les carreaux décoratifs et les carreaux des bords. Lorsque vous êtes satisfait du résultat, enlevez les carreaux et, à l'aide d'une truelle à encoches, appliquez du mortier à prise rapide sur le panneau de ciment.

10. Posez les carreaux sur le mortier et enfoncez-les en les faisant légèrement osciller. Poursuivez la pose du mortier et des carreaux jusqu'à ce que le banc soit complètement carrelé. Enlevez les séparateurs. Laissez sécher le mortier en suivant les instructions du fabricant. (Voir aux p. 118 et 119 pour avoir d'autres détails sur la pose des carreaux.)

11. Préparez du coulis et enfoncez-le dans les joints des carreaux au moyen d'une taloche à coulis. Essuyez l'excédent de coulis avec une éponge humide. Lorsque le coulis a commencé à sécher, polissez les carreaux avec un chiffon sec et propre pour enlever la fine poussière de coulis qui reste sur la surface des carreaux. (Voir aux p. 120 et 121 d'autres détails sur la pose du coulis.)

PROJETS DE RÉPARATION

RÉPARATION DES CARRELAGES MURAUX

Ainsi qu'on n'a cessé de le dire dans cet ouvrage, les carreaux de céramique sont durables et ils n'exigent presque pas d'entretien, mais comme certains autres matériaux de la maison, ils peuvent se briser ou causer des problèmes. Le problème le plus fréquent des carreaux de céramique est la détérioration des joints de coulis. Le coulis abîmé est vilain, mais son plus grand désavantage est de laisser pénétrer l'eau. Si l'eau parvient à s'infiltrer sous le coulis, elle peut détériorer la base du carreau et même détruire tout le travail de pose qui a été effectué. Il est donc important de rejointoyer les carreaux de céramique dès que le coulis présente des signes de faiblesse.

La détérioration des cordons de scellement constitue un autre problème potentiel des carrelages. Les joints entre les carreaux et les accessoires des baignoires, des cabinets de douche et des lavabos sont scellés avec un cordon de produit de scellement. Ces joints finissent par se détériorer, livrant passage à l'eau à cet endroit. Si vous ne refaites pas ces joints, l'eau finira par détruire la base des carreaux et le mur.

Les porte-serviettes, porte-savons et autres accessoires de salle de bains se détachent parfois des murs, surtout s'ils ont été mal installés ou s'ils sont mal supportés. Pour que les nouveaux accessoires soient mieux accrochés, fixez-les sur une cale murale ou à un poteau mural. S'il n'y en a pas à l'endroit où vous désirez installer les accessoires, utilisez des fixations spéciales, comme les boulons à ailettes ou à cheville, qui permettent d'attacher les accessoires directement aux panneaux muraux ou aux plaques de plâtre. Pour que les vis tiennent solidement dans les murs recouverts de carreaux de céramique, forez des avant-trous dans lesquels vous introduirez des manchons en plastique qui se dilatent lorsqu'on y introduit une vis.

TOUT CE DONT VOUS AVEZ BESOIN

- **Outils :** alène, couteau universel, truelle, aplanissoir à coulis, marteau, ciseau, petit levier, équipement de protection oculaire.

- **Matériel :** carreaux de rechange, adhésif à carreaux, ruban-cache, coulis, chiffon, alcool à friction, agent antimoisissure, produit de scellement à la silicone ou au latex.

Rejointoiement des carrelages muraux

1. Grattez complètement le vieux coulis, afin de laisser une base propre, prête à recevoir le coulis neuf. Une alène ou un couteau universel permettent de bien effectuer ce travail.

2. Nettoyez et rincez les joints de coulis, et étendez du coulis neuf sur toute la surface du carreau, au moyen d'un aplanissoir en mousse ou d'une éponge. Faites bien pénétrer le coulis dans les joints et laissez-le sécher.

3. Enlevez le coulis excédentaire au moyen d'un linge humide. Lorsque le coulis est sec, enlevez tout résidu et polissez les carreaux avec un chiffon sec.

Rejointoiement

1. Pour pouvoir refaire un joint, il faut avant tout que la surface soit parfaitement sèche. Grattez l'ancien produit de scellement et essuyez le joint avec un linge trempé dans de l'alcool à friction. S'il s'agit d'une baignoire ou d'un lavabo, remplissez-les pour que le joint ne se fissure pas la première fois qu'on remplira ces sanitaires.

2. Nettoyez le joint avec un produit qui tue les spores de la moisissure. Lorsqu'il est complètement sec, remplissez le joint de produit de scellement à la silicone ou au latex.

3. Trempez le bout de votre doigt dans l'eau froide et lissez le produit de scellement du bout du doigt en lui donnant la forme d'une moulure à gorge. Lorsque le produit de scellement est sec, enlevez l'excédent au moyen d'un couteau universel.

Remplacement des accessoires muraux encastrés

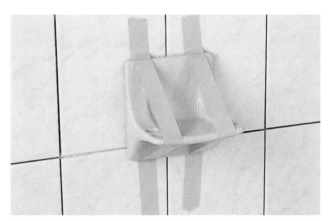

1. Enlevez soigneusement l'accessoire endommagé. Grattez l'adhésif et le coulis autour de l'endroit. Appliquez de l'adhésif à séchage rapide sur l'envers du nouvel accessoire et pressez-le ensuite à sa place.

2. Utilisez du ruban-cache pour maintenir l'accessoire en place pendant que l'adhésif sèche. Laissez l'adhésif sécher complètement (12 à 24 heures) avant de jointoyer l'endroit.

Remplacement des accessoires montés en applique

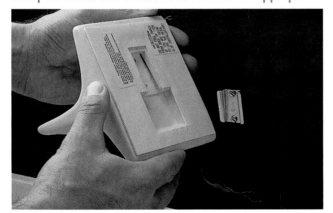

1. Pour enlever un accessoire monté en applique, poussez-le vers le haut, en dehors de la plaque de montage. Si les vis de la plaque de montage sont fixées dans une cale murale ou un poteau mural, accrochez simplement le nouvel accessoire à la place de l'ancien. Mais si les vis sont mal supportées, remplacez-les par des fixations spéciales, comme des boulons à ailettes ou à cheville, ou des manchons en plastique.

2. Appliquez un peu de produit de scellement à la silicone dans les avant-trous et sur la pointe des vis avant de les installer. Laissez sécher le produit de scellement et installez ensuite les nouveaux accessoires sur leur plaque de montage.

Enlèvement et remplacement des carreaux brisés

1. À l'aide d'un couteau universel ou d'une alène, grattez précautionneusement le coulis des joints entourant le carreau. Cassez le carreau endommagé en plusieurs morceaux, en utilisant un marteau ou un ciseau. Retirez les morceaux et utilisez un couteau universel pour gratter les débris ou l'ancien adhésif qui se trouvent dans l'ouverture.

2. Si le carreau à remplacer est un carreau coupé, coupez un morceau identique (voir p. 98 à 103). Ajustez le nouveau carreau dans l'ouverture et assurez-vous que sa surface est au même niveau que celle des carreaux adjacents. Étendez de l'adhésif sur l'envers du nouveau carreau, logez-le dans l'ouverture en le faisant osciller légèrement. Utilisez du ruban-cache pour tenir le carreau en place pendant 24 heures et permettre à l'adhésif de sécher complètement.

3. Enlevez le ruban-cache et appliquez le coulis prémélangé, en utilisant une éponge ou un aplanissoir à coulis. Laissez le coulis prendre légèrement et lissez-le ensuite avec un objet rond comme le manche d'une brosse à dents. Essuyez l'excédent de coulis avec un linge humide.

4. Laissez le coulis sécher pendant une heure avant de polir le carreau avec un linge propre et sec.

RÉPARATION DES CARRELAGES DE PLANCHER

Les planchers carrelés figurent parmi les planchers les plus durables, mais ils requièrent un entretien périodique. Les accidents peuvent arriver et, bien qu'il faille un choc important pour briser un carreau pour plancher, cela se produit parfois. Un carreau cassé ou un coulis défectueux exposent la sous-couche à l'humidité qui finira par détériorer le plancher.

Des fissures importantes dans les joints de coulis indiquent que les mouvements du plancher ont entraîné la détérioration de la couche sous-jacente d'adhésif. Pour remédier à cette situation, il faut remplacer la couche d'adhésif et le coulis.

Mais la plus grande difficulté en ce qui a trait à la réparation des carrelages réside sans doute dans la reproduction de la couleur du coulis. Si on remplace tout le plancher, il suffit de choisir une couleur assortie au carrelage ; si par contre, on ne remplace qu'un carreau, il faut que la couleur du nouveau coulis se fonde dans celle de l'ancien. Un bon marchand de carreaux vous aidera à trouver le coulis de la couleur appropriée.

Chaque fois que vous enlevez un carreau, vérifiez l'état de la sous-couche à cet endroit. Si elle n'est plus lisse, solide et plane, réparez-la ou remplacez-la avant de replacer le carreau.

Protégez les carreaux de céramique non vernissés contre les taches et l'eau en leur appliquant régulièrement une couche de produit de scellement pour carreaux. Empêchez la saleté de s'introduire dans les joints de coulis en les scellant environ une fois par an.

TOUT CE DONT VOUS AVEZ BESOIN

- **Outils :** outil rotatif, couteau universel ou scie à coulis, marteau, ciseau de maçon, lunettes de sécurité, petit tournevis, couteau à mastiquer, éponge, brosse, brosse à poils raides, seau, aplanissoir à coulis.

- **Matériel :** coulis, gants en caoutchouc, taloche ou éponge à coulis, linge doux, produit de scellement pour coulis.

Rejointoiement des planchers carrelés

1. *Enlevez complètement l'ancien coulis à l'aide d'un outil rotatif, d'un couteau universel (et de plusieurs lames), ou d'une scie à coulis. Étalez le nouveau coulis sur les carreaux au moyen d'une taloche à coulis en caoutchouc. Enfoncez le coulis dans les joints en tenant la taloche presque à plat, puis en l'inclinant à 45° et en la passant en diagonale sur les joints.*

2. *Enlevez l'excédent de coulis en passant une deuxième fois la taloche sur les joints, diagonalement, et en tenant la taloche presque verticale.*

3. *Laissez sécher le coulis pendant 10 à 15 minutes, puis enlevez l'excédent avec une éponge humide que vous rincez souvent. Remplissez les creux en appliquant et en lissant un peu de coulis avec le doigt. Laissez sécher le coulis pendant une heure, puis polissez les carreaux avec un linge sec pour enlever le résidu poussiéreux. Imperméabilisez le coulis lorsqu'il est complètement sec.*

1. Enlevez le coulis qui entoure le carreau endommagé à l'aide d'un outil rotatif, d'un couteau universel (et de plusieurs lames), ou d'une scie à coulis. Ensuite, cassez précautionneusement le carreau abîmé à l'aide d'un ciseau et d'un marteau.

2. À l'aide d'un couteau à mastiquer, grattez l'adhésif qui reste jusqu'à ce que la surface soit lisse et plane.

3. Utilisez une truelle à encoches pour appliquer du mortier à prise rapide sur l'envers du carreau de remplacement.

4. Installez le carreau à sa place, en pesant dessus pour qu'il adhère bien à la souscouche. Si nécessaire, placez un morceau en bois de 2 po × 4 po, recouvert de moquette, à travers plusieurs carreaux et frappez dessus avec le maillet pour mettre le carreau au niveau des carreaux adjacents.

5. *Enlevez le mortier humide des joints avec un petit tournevis et essuyez la surface des carreaux pour la débarrasser du mortier qui s'y trouve. Lorsque le mortier est complètement sec, remplissez les joints de coulis.*

ENTRETIEN DU COULIS

Tout comme le carrelage de la salle de bains ou de la cuisine, le carrelage des planchers doit être imperméable. Tous les joints de coulis doivent être remplis et solides, et les carreaux ne doivent présenter ni fissures ni éclats. Si on néglige les problèmes d'un plancher ceux-ci peuvent détériorer la sous-couche ou le sous-plancher et finir par endommager tout le carrelage.

Mais la plus grande difficulté, en ce qui a trait à la réparation des carrelages, réside sans doute dans la reproduction de la couleur du coulis. Si l'on remplace tout le plancher, il suffit de choisir une couleur assortie au carrelage ; si par contre, on ne remplace qu'un carreau, il faut que la couleur du nouveau coulis se fonde dans celle de l'ancien. Un bon marchand de carreaux vous aidera à trouver le coulis de la couleur appropriée.

Appliquez sur tous les joints, *chaque année ou tous les deux ans, un produit de scellement pour coulis qui les protège contre l'humidité, l'usure et les taches. Utilisez un pinceau en éponge pour étaler le produit et évitez d'en déposer sur les carreaux. Laissez sécher le coulis avant de l'imperméabiliser.*

GLOSSAIRE

Abacules : petits carreaux colorés, utilisés pour former des motifs mosaïqués sur les murs ou les planchers.

Absorption d'eau ou perméabilité : mesure de la quantité d'eau qui peut pénétrer dans un carreau lorsqu'il est exposé à l'humidité. Cette mesure permet de classer le carreau dans une des catégories suivantes : non vitrifié, semi-vitrifié, vitrifié ou imperméable.

American National Standards Institute (ANSI) : organisme de normalisation qui classe les carreaux en fonction de leur perméabilité à l'eau.

Baguettes : carreaux longs et étroits utilisés pour ajouter des lignes de couleurs contrastantes à un carrelage.

Bâton (ou latte) témoin : latte de bois scié de 1 po × 2 po, marquée de traits correspondant à l'espacement des carreaux.

Carreau arrondi ou à bords arrondis : carreau dont le bord visible est arrondi.

Carreaux artistiques : carreaux ornés de motifs finis à la main. On les utilise généralement pour décorer un carrelage de dimensions importantes.

Carreaux à espacement automatique : carreaux munis de brides (ou oreilles) qui les séparent uniformément les uns des autres.

Carreaux de bordure en V : carreaux en V ou en L servant de bordures aux extrémités visibles des dessus de comptoirs.

Carreaux de carrière : carreaux extrudés, présentant le même aspect que les carreaux en pierre de carrière.

Carreaux de céramique émaillés : carreaux en argile raffinée revêtus d'une glaçure avant la cuisson au four.

Carreaux de ciment : carreaux faits de béton coulé dans un moule.

Carreaux décoratifs : carreaux ornés d'un motif, en relief ou non, utilisés généralement pour embellir un fond de carreaux unis.

Carreaux de fond : carreaux principaux d'un carrelage, par opposition aux carreaux de bordure et aux carreaux décoratifs.

Carreaux de garniture : carreaux qui ont un bord fini, ce qui permet de les utiliser pour terminer une rangée de carreaux sur un mur.

Carreaux de pierre naturelle : carreaux taillés dans le marbre, l'ardoise, le granit ou toute autre pierre naturelle.

Carreaux de plinthe : carreaux ayant la forme d'une plinthe, utilisés à la place des plinthes en bois.

Carreaux de porcelaine : carreaux faits d'argile blanche raffinée, traitée à haute température, dont la couleur, obtenue par pigmentation plutôt que par glaçure, traverse toute la masse.

Carreaux de verre : carreaux en verre transparent souvent utilisés comme carreaux décoratifs.

Carreaux en terre cuite : carreaux en argile non raffinée, chauffée à basse température et dont la couleur varie fortement selon le lieu d'origine de l'argile.

Carreaux métalliques : carreaux en acier, en acier inoxydable, en cuivre ou en laiton, généralement utilisés comme carreaux décoratifs.

Carreau non vitrifié : carreau très perméable, dont l'absorption d'eau est supérieure à 70 p. 100 de son poids et qui ne doit pas être utilisé à l'extérieur.

Carreaux pour mur : carreaux fabriqués pour être posés sur un mur. Ils sont généralement plus minces que les carreaux pour plancher et ne doivent être utilisés ni sur les planchers ni sur les dessus de comptoirs.

Carreaux pour plancher : carreaux conçus pour être posés sur un plancher. Le plus souvent, on peut également les poser sur un mur ou sur un dessus de comptoir.

Carreaux semi-vitrifiés : carreaux moyennement perméables, dont l'absorption d'eau peut varier entre 3 et 7 p. 100 de leur poids ; ils ne doivent pas être utilisés à l'extérieur.

Carreaux vitrifiés : carreaux faiblement perméables, dont l'absorption d'eau varie entre 0,5 et 3 p. 100 de leur poids.

Coefficient de frottement : mesure de la résistance au glissement du carreau. Les carreaux à coefficient de frottement élevé sont plus antidérapants.

Coulis : poudre sèche, habituellement à base de ciment, que l'on mélange avec de l'eau pour l'introduire dans les joints des carreaux ; on ajoute parfois un additif acrylique ou au latex à cette poudre pour améliorer son adhérence et son imperméabilité.

Enduire l'envers : étendre du mortier sur l'envers d'un carreau avant de le presser contre le subjectile.

Four : ouvrage de maçonnerie ou appareil dans lequel on soumet les carreaux d'argile à une chaleur intense.

Imperméabilisant (ou produit de scellement) : produit protégeant les carreaux vitrifiés ou semi-vitrifiés contre les taches et les dommages causés par l'eau, et qui protège également le coulis.

Imperméable (ou étanche) : qualité d'un carreau dont l'absorption d'eau est inférieure à 0,5 p. 100 de son poids.

Joint de dilatation : dans un carrelage, joint que l'on remplit d'un produit flexible telle une pâte, plutôt que de coulis.

Lignes de référence : lignes tracées sur le subjectile pour guider l'installation de la première rangée de carreaux.

Listels : carreaux de bordure, habituellement plus épais que les carreaux de fond.

Mastic ou mastic organique : type de colle utilisé dans la pose des carreaux. Vendu à l'état prémélangé, il durcit en séchant. Il est commode lorsqu'on doit poser des carreaux pour mur de moins de 6 po x 6 po, mais il ne convient pas au carrelage des planchers.

Membrane étanche (ou imperméable) : membrane flexible, installée en feuille ou étalée à la brosse pour protéger le sous-plancher contre les dommages causés par l'eau.

Membrane isolante : matériau flexible en feuilles ou à étendre à la truelle que l'on installe sur une base instable ou endommagée – un plancher, un sous-plancher, ou un mur – avant de poser le carrelage. Elle sert à protéger les carreaux de céramique contre les mouvements de cette base.

Mortier ou mortier à prise rapide : mélange de ciment Portland et de sable, contenant parfois un additif acrylique ou au latex qui améliore son adhérence.

Porcelain Enamel Institute (PEI) : groupe industriel américain qui classe les carreaux en fonction de leur résistance à l'usure.

Poser à sec : installer les carreaux sans mortier en vue d'essayer différents agencements.

Qualité : certains carreaux sont classés de 1 à 3 en fonction de la qualité et de l'uniformité de leur fabrication. Dans la classe 1, on range les carreaux de qualité standard utilisés dans la plupart des applications ; dans la classe 2, les carreaux qui présentent de légers défauts de glaçure ou de dimensions ; et dans la classe 3, les carreaux qui présentent des défauts importants et qui ne doivent être utilisés que pour la décoration.

Saltillo : carreau en terre cuite mexicain, ayant un aspect rustique particulier.

Séparateurs : petites croix en plastique que l'on place entre les carreaux pour les espacer uniformément pendant la pose.

Solives : éléments de la charpente qui supportent le plancher.

Sous-plancher : surface en contreplaqué fixée aux solives de plancher.

Subjectile ou sous-couche : couche installée sur un plancher, un sous-plancher ou un mur existants pour créer une surface prête à recevoir un carrelage. Le subjectile est habituellement fait de panneaux de ciment, de contreplaqué, de liège, de panneaux d'appui, de panneaux verts ou d'une membrane d'étanchéité.

Système de réchauffage de plancher : ensemble d'éléments de chauffage installés directement sous le plancher qui dégagent un supplément de chaleur radiante dans une pièce.

INDEX

COLLABORATEURS

Nous remercions particulièrement les firmes suivantes de nous avoir fourni des échantillons et de nous avoir permis de visiter leurs installations :

Rubble Tile
6001 Culligan Way
Minnetonka, MN 55345
952-938-2599
www.rubbletile.com

Buddy Rhodes Studio
877-706-53-03
www.buddyrhodes.com
La photo de la p. 141 (à droite) est l'œuvre du photographe Ken Gutmaker ;
Kitchen design, www.johngrey.com

Country Floors, Inc.
Sicis
800-311-9995
www.countryfloors.com
Ardent promoteur des produits de carrelage classiques améri-cains et européens depuis 1964, Country Floors, Inc. possède plu-sieurs salles d'exposition situées dans les villes suivantes :
Los Angeles, CA ; San Francisco, CA ; New York, N.Y. ; Greenwich, CT ; Dania Beach. FL ; Montréal, Québec ; Toronto, Ontario.

Ceramic Tiles of Italy
212-980-1500
www.italytile.com
Les photos suivantes montrent des carreaux provenant des compagnies italiennes mentionnées :
Provenza, www.ceramicheprovenza.com : p. 7 (en bas) ; Ragno. www.ragno.it. : p. 8 (en haut) ; Provenza, www.ceramicheprovenza.com : p. 8 (en bas) ; Rasseno, www.bellanoceramictile, com : p. 20 ; Lux, www.lux. Riwal.it : p. 22 ; Alfa, www.alfa.riwal.it : p. 26 (à droite) ; Saime, www.saime.riwal.it : p. 27 (en bas, à droite) ; Piemme, www.ceramichepienne.it : p. 29 (en bas, à droite) Marca Carona, www.marcacaroa.it : p. 31 : Italgraniti, www.italgraniti.it : p. 109 (en haut, à gauche) ; Sire, www.klinkersire.comm : p. 109 (en haut, à droite) ; Panariawww.panaria.it : p. 110 (en haut, à droite) ; Edilgres Sirio, www.edilgressirio.it : p. 112 ; Century, www.monocibec.it : p. 113 (en haut, à droite) ; Ker-Ex, www.kerex.it : p. 114 (en bas) ; Brennero, www.brennero.com : p. 145 (en haut, à droite) ; Elios, www.eliosceramica.com : p. 145 (en bas) ; Novabell, www.navabell.it : p. 146 (en bas) ; Grazia, www.ceramiche-grazia.it : p. 147 ; Magice, www.cermagica.it : p. 153 (en haut) ; RioKerfin, www.alfa.riwal.it : p. 153 (au centre) ; Francesco De Maio, www.francescodemaio.it : p. 153 (en Bas) ; Cemar, www.cemarint.com : p. 154 ; Marmo, www.marmo.it : p. 171 (en haut, à gauche) ; Ker-Av, www.kera.co : p. 184 (en haut, à droite) ; La Tavolozza Vietrese, www.tavolozzavietrese.it : p. 188 (en haut, à gauche).

Crossville Porcelain Stone
P.O. Box 1168
Crossville, TN 38557
931-484-2110
www.crossvilleceramics.com

Daltile
800-933-TILE
www.daltile.com

d'facto Art, Inc.
952-906-1003
www.dfactoart.com

Dock 6 Pottery
Kerry Brooks
612-379-2110
www.dock6pottery.com

EuroTile Featuring Villi®Glas
239-275-8033
www.villiglass.com

Fireclay Tile, Inc.
408-275-1182
www.fireclaytile.com

Hi-Ho Industries, Inc.
Mosaic-Tile Arts
St. Paul, MN
651-649-0992

IKEA Home Furnishings
496 W. Germantown Pike
Plymouth Meeting, PA 19462
800-434-4532

Les fragments de carreaux et autres éléments de la mosaïque de la p. 202 ont été fournis par :
KPTiles
Kristen Phillips
248-853-0418
www.kptiles.com

Meredith Collection
330-484-4887
www.meredithtile.com

Montana Tile & Stone Co.
58 Peregrine Way
Bozeman, MT 59718
406-587-6114
www.montanatile.com

Oceanside Glasstile
760-929-5882
www.glasstile.com
La photo de la p. 24 (à droite) est l'œuvre de Christopher Ray Photography

Tile Creator™
760-788-1288
www.tilecreator.com

Walker & Zanger, Inc.
13190 Telfair Avenue
Sylmar, CA 91342
818-504-0235
www.walkerzanger.com

Photographes

Beateworks, Inc.
Los Angeles, CA
www.beateworks.com
p.184 (en bas) ©Baerdemaeker/Inside/Beateworks.com; p. 185
©Henry Cabala/Beateworks.com; p.151 (en haut, à gauche)
©Caillaut/Inside/Beateworks.com; p. 9
©Chabaneix/Inside/Beateworks.com; p. 146 (en haut, à droite)
©Claessens/Inside/Beateworks.com;
p. 144 ©Christopher Covcy/Beateworks.com; p. 206 (en haut, à droite)
©Duronsoy/Inside/Beateworks.com; p. 184 (en haut, à gauche)
©Galeron/Inside/Beateworks.com; p. 206 (en haut, à gauche)
©Douglas Hill/Beateworks.com;
p. 17 ©Palisse/Inside/Beateworks.com; pp. 29 (left), 80, 146 (en haut,
à gauche),152 (top), 173, 175, 187 (top), 204, 206 (en bas), 207, 209
(en haut, à gauche) ©Tim Street-Porter/Beateworks.com; p. 6
©Touillon/Inside/Beateworks.com; p. 115
©Vasseur/Inside/Beateworks.com; p. 21 ©Van
Robaeys/Inside/Beateworks.com

Index Stock Imagery, Inc.
New York, NY
www.indexstock.com
p. 213 (en haut) ©Index Stock Imagery Inc./Shubroto
Chattopadhyay; p. 182-3, 213 (en bas) ©Index Stock Imagery,
Inc./Kindra Clineff; p. 210 (top) ©Index Stock Imagery,
Inc./Diaphor Agency; p. 212 ©Index Stock Imagery Inc./FotoKIA;
p. 210 (bottom) ©Index Stock Imagery Inc./Stephen Saks; p. 211
©Index Stock Imagery Inc./Lousi Yanucci

David Livingston Photography
Mill Valley, CA
©www.davidduncanlivingston.com: p. 186

La mosaïque murale de la p. 200 est inspirée du tableau
(huile sur toile) **Calabash Girls** de Tily Willis (1991).

Ressources

American Society of Interior Designers
202-546-3480
www.asid.org

Center for Universal Design NC State University
919-515-3082
www.design.ncsu.edu/cud

Construction Materials Recycling Association
630-548-4510
www.cdrecycling.org

Energy & Environmental Building Association
952-881-1098
www.eeba.org

International Residential Code Book
International Conference of Building Officials
800-284-4406
www.icbo.com

National Kitchen & Bath Association (NKBA)
800-843-6522
www.nkba.org

The Tile Council of America, Inc.
864-646-8453
www.tileusa.com

U.S. Environmental Protection Agency –
Indoor Air Quality
www.epa.gov/iedweb00/pubs/insidest.html

Appendice

Conversion des unités de mesure

POUR CONVERTIR :	EN :	MULTIPLIER PAR :
Pouces	Millimètres	25,4
Pouces	Centimètres	2,54
Pieds	Mètres	0,305
Verges	Mètres	0,914
Pouces carrés	Centimètres carrés	6,45
Pieds carrés	Mètres carrés	0,093
Verges carrées	Mètres carrés	0,836
Pouces cubes	Centimètres cubes	16,4
Pieds cubes	Mètres cubes	0,0283
Verges cubes	Mètres cubes	0,765
Onces	Millimètres	30,0
Chopines (US)	Litres	0,473 (Imp. 0,568)
Pintes (US)	Litres	0,946 (Imp. 1,136)
Gallons (US)	Litres	3,785 (Imp. 4,546)
Onces	Grammes	28,4
Livres	Kilogrammes	0,454

POUR CONVERTIR :	EN :	MULTIPLIER PAR :
Millimètres	Pouces	0,039
Centimètres	Pouces	0,394
Mètres	Pieds	3,28
Mètres	Verges	1,09
Centimètres carrés	Pouces carrés	0,155
Mètres carrés	Pieds carrés	10,8
Mètres carrés	Verges carrées	1,2
Centimètres cubes	Pouces cubes	0,061
Mètres cubes	Pieds cubes	35,3
Mètres cubes	Verges cubes	1,31
Millimètres	Pouces	,033
Litres	Chopines (US)	2,114 (Imp. 1.76)
Litres	Pintes (US)	1,057 (Imp. 0.88)
Litres	Gallons (US)	0,264 (Imp. 0.22)
Grammes	Onces	0,035
Kilogrammes	Livres	2,2

Forets

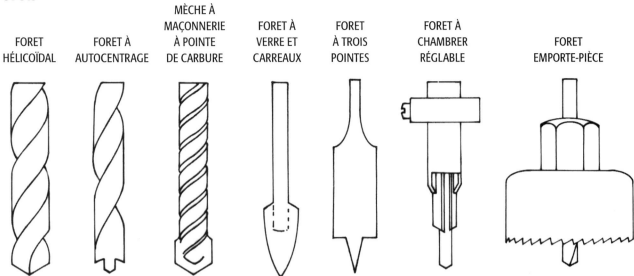

FORET
HÉLICOÏDAL

FORET À
AUTOCENTRAGE

MÈCHE À
MAÇONNERIE
À POINTE
DE CARBURE

FORET À
VERRE ET
CARREAUX

FORET
À TROIS
POINTES

FORET À
CHAMBRER
RÉGLABLE

FORET
EMPORTE-PIÈCE

Diamètre du logement de tête, du trou de dégagement et de l'avant-trou

FORMAT DE LA VIS	DIAMÈTRE DU LOGEMENT DE LA TÊTE DE VIS NOYÉE	TROU DE DÉGAGEMENT DE LA TIGE DE VIS	DIAMÈTRE DE L'AVANT-TROU	
			BOIS DUR	BOIS TENDRE
n° 1	.146 ($^9/_{64}$)	$^5/_{64}$	$^3/_{64}$	$^1/_{32}$
n° 2	$^1/_4$	$^3/_{32}$	$^3/_{64}$	$^1/_{32}$
n° 3	$^1/_4$	$^7/_{64}$	$^1/_{16}$	$^3/_{64}$
n° 4	$^1/_4$	$^1/_8$	$^1/_{16}$	$^3/_{64}$
n° 5	$^1/_4$	$^1/_8$	$^5/_{64}$	$^1/_{16}$
n° 6	$^5/_{16}$	$^9/_{64}$	$^3/_{32}$	$^5/_{64}$
n° 7	$^5/_{16}$	$^5/_{32}$	$^3/_{32}$	$^5/_{64}$
n° 8	$^3/_8$	$^{11}/_{64}$	$^1/_8$	$^3/_{32}$
n° 9	$^3/_8$	$^{11}/_{64}$	$^1/_8$	$^3/_{32}$
n° 10	$^3/_8$	$^3/_{16}$	$^1/_8$	$^7/_{64}$
n° 11	$^1/_2$	$^3/_{16}$	$^5/_{32}$	$^9/_{64}$
n° 12	$^1/_2$	$^7/_{32}$	$^9/_{64}$	$^1/_8$

Grain des papiers abrasifs - (oxyde d'aluminium)

TRÈS GROSSIER	GROSSIER	MOYEN	FIN	TRÈS FIN
12 - 36	40 - 60	80 - 120	150 - 180	220 - 600

Lames de scie

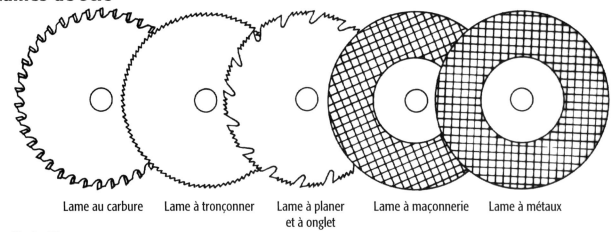

Lame au carbure   Lame à tronçonner   Lame à planer et à onglet   Lame à maçonnerie   Lame à métaux

Adhésifs

TYPE	CARACTÉRISTIQUES	UTILISATIONS
COLLE BLANCHE	**Solidité :** modérée, liaison rigide **Temps de séchage :** plusieurs heures **Résistance à la chaleur :** médiocre **Résistance à l'humidité :** médiocre **Dangers :** aucun **Nettoyage/solvant :** eau et savon	**Surfaces poreuses :** Bois (intérieur) Papier Tissu
COLLE ALIPHATIQUE	**Solidité :** de moyenne à bonne, liaison rigide **Temps de séchage :** plusieurs heures ; plus court que celui de la colle blanche **Résistance à la chaleur :** moyenne **Résistance à l'humidité :** moyenne **Dangers :** aucun **Nettoyage/solvant :** eau et savon	**Surfaces poreuses :** Bois (intérieur) Papier Tissu
COLLE ÉPOXYDE À DEUX CONSTITUANTS	**Solidité :** excellente ; le plus solide des adhésifs **Temps de séchage :** varie selon le fabricant **Résistance à la chaleur :** excellente **Résistance à l'humidité :** excellente **Dangers :** vapeurs toxiques et inflammables **Nettoyage/solvant :** l'acétone dissout certains types	**Surfaces poreuses ou lisses :** Bois (intérieur et extérieur) Métal Maçonnerie Verre Fibre de verre
COLLE À CHAUD	**Solidité :** varie selon le type **Temps de séchage :** moins d'une minute **Résistance à la chaleur :** passable **Résistance à l'humidité :** bonne **Dangers :** colle chaude : risque de brûlure **Nettoyage/solvant :** la chaleur affaiblit la liaison	**Surfaces poreuses ou lisses :** Verre Plastique Bois
COLLE CYANO-ACRYLATE	**Solidité :** excellente, mais liaison peu flexible **Temps de séchage :** quelques secondes **Résistance à la chaleur :** excellente **Résistance à l'humidité :** excellente **Dangers :** peut coller instantanément à la peau ; toxique, inflammable **Nettoyage/solvant :** acétone	**Surfaces lisses :** Verre Céramique Plastique Métal
COLLE MASTIC	**Solidité :** bonne à excellente ; très durable **Temps de séchage :** 24 heures **Résistance à la chaleur :** bonne **Résistance à l'humidité :** excellente **Dangers :** peut irriter la peau et les yeux **Nettoyage/solvant :** eau et savon (avant le séchage de la colle)	**Surfaces poreuses :** Éléments de charpente Contreplaqué et lambris Carton-plâtre Panneaux de mousse Maçonnerie
ADHÉSIF DE CONTACT À BASE D'EAU	**Solidité :** bonne **Temps de séchage :** liaison instantanée ; séchage complet en 30 minutes **Résistance à la chaleur :** excellente **Résistance à l'humidité :** bonne **Dangers :** peut irriter la peau et les yeux **Nettoyage/solvant :** eau et savon (avant le séchage de l'adhésif)	**Surfaces poreuses :** Laminés de plastique Contreplaqué Revêtements de sol Tissu
ADHÉSIF/SCELLANT À LA SILICONE	**Solidité :** passable à bonne ; liaison très souple **Temps de séchage :** 24 heures **Résistance à la chaleur :** bonne **Résistance à l'humidité :** excellente **Dangers :** peut irriter la peau et les yeux **Nettoyage/solvant :** acétone	**Surfaces poreuses ou lisses :** Bois Céramique Fibre de verre Plastique Verre

Achevé d'imprimer au Canada
en septembre 2004
sur les presses des Imprimeries Transcontinental Inc.